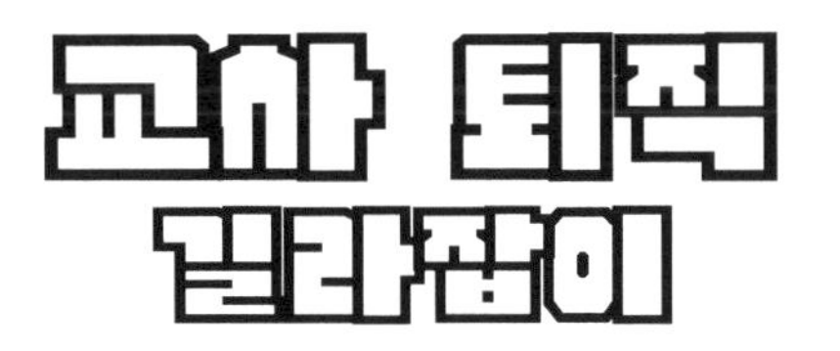

교사 퇴직 길라잡이

퇴직 후 더 아름다운 내 인생

강신진

BOOKK

저 자 | 강신진

발 행 | 2024년 8월 1일
펴낸이 | 한건희
펴낸곳 | 주식회사 부크크
출판사 등록 | 2014.7.15.(제2014-16호)
주 소 | 서울특별시 금천구 가산디지털1로 119
(SK 트윈타워 A동 305호)
전 화 | 1670-8316
이메일 | info@bookk.co.kr

ISBN | 979-11-410-9798-1

www.bookk.co.kr

유능한 사람은
언제나
배우는 사람이다.
- 괴테 -

차례

2부

3부

4부

맺음말

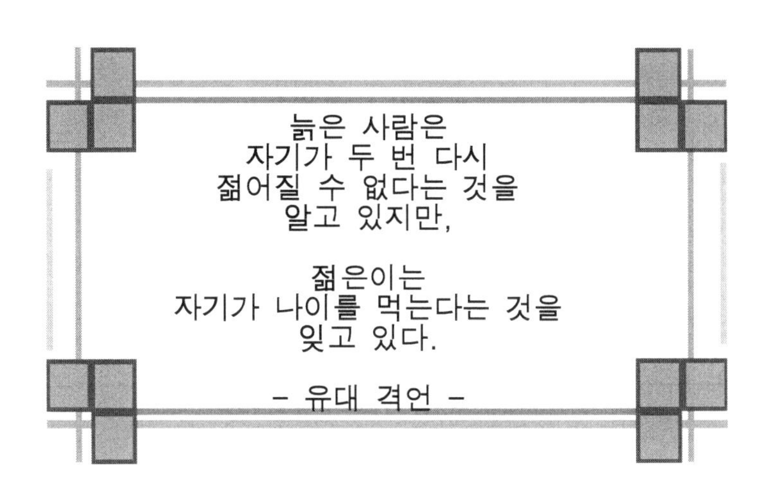

늙은 사람은
자기가 두 번 다시
젊어질 수 없다는 것을
알고 있지만,

젊은이는
자기가 나이를 먹는다는 것을
잊고 있다.

- 유대 격언 -

들어가기

오늘이 가장 젊은 날이다

퇴직은 후반전 인생이며, 제2의 삶을 사는 출발점이다.

퇴직은 오랜 기간 열심히 살아온 증거이고 영광스러운 일이다. 변화는 새롭게 바꾸는 것이다. 100세 시대 장기적인 목표를 세우고 목표를 달성하도록 노력하면 성취감을 느낀다. 퇴직 후 무엇을 할까? 어떠한 삶을 살아야 행복할 수 있을까? 퇴직 후 노후설계 어떻게 할까?

퇴직 후 제2의 삶을 살아가는 선배들의 삶의 경험과 교훈을 나열한 안내서이다. 후반전 인생에 영향을 미치는 근본적인 문제는 할 일과 시간, 건강관리이다. 창의적인 취미활동이나 흥미를 가지고 순간순간 최선을 다하며 즐기는 일이다. 제2의 삶을 진지하게 생각하게 된다. 삶에 대한 태도가 행복을 좌우한다. 퇴직 후 삶의 태도는 나에게 달려있다.

삶의 목표는 행복하게 사는 것이다. 퇴직 후에도 소일거리로 일하며 생계유지하고, 사회에 공헌하는 노후설계도 필요하다. 삶에서 앎을 나누는 게 자아실현이고 세상에 이바지하는 거다. 퇴직이 가져오는 삶의 방향과 자세에 관해 제시한 책이다.

이 책은 총 4부로 구성되었으며,

1부는 배우고 익히니 즐겁지 아니한가?

그동안 직장생활을 했다. 긴 인생을 되돌아보며 배워서 남 주는 인생과 퇴직에 대하여 살펴본다.

2부는 은빛 청춘 이제 시작이다.

퇴직 후 제2의 인생을 시작을 응원한다. 황금빛 내 인생으로 꿈을 펼치는 삶을 안내한다.

3부는 롱런(Long Run)은 롱런(Long Learn)이다.

100세 시대 퇴직 이후의 제2의 인생을 사는 방법이다. 롱런(Long Run)하는 인생은, 롱런(Long Learn)하는 삶이다. 평생교육의 중요성과 방법을 알아본다.

4부는 행복한 인생 감사의 실천이다.

행복한 미래를 위한 삶의 가치를 제시했다. 빠듯한 하루에서 뿌듯한 하루가 되는 삶이다. 행복한 삶의 자세와 미래상에 대하여 나열했다.

오늘이 가장 젊은 날이다. 모든 것은 태도가 결정한다. 누구나 정해진 나이가 되면 퇴직하게 된다. 전문 분야의 경험과 경력은 소중하고 뛰어난 능력이다. 배워서 남 주는 인생에서 오래 활동하는 삶에 대해 생각한다.

퇴직 후 주도적인 삶을 사는 세상을 준비해야 한다.

지금까지 직장 생활하느라 수고 많았다고 감사의 말을 전한다. 누구나 나이 먹고 퇴직하면 지속할 수 있는 직장이 없는 건 마찬가지다. 노후 누가 챙겨주지 않는다. 대책을 마련해야 한다. 시도하지 않는다면 얻는 것도 없다. 퇴직 후에도 새로운 기술을 배우고 새로운 지식을 습득하는 게 후반전 인생이다. 잘하는 것을 더욱 잘하도록 일을 찾는 것이다. 나를 성장하게 할 것은 내가 노력하는 방법이다. 이제는 무엇인가 세상에 이바지하는 롱런하는 삶이다.

이 책은 퇴직을 앞둔 직장인의 삶에 대한 자세와 퇴직한 선배들의 행복하고 즐겁게 사는 사례를 실었다. 행복의 기준과 보람은 개인의 가치관에 따라 다르다. 퇴직 전 관련분야 공부하거나 자격을 취득하는 삶이 필요하다. 퇴직 후 경제적인 여유는 매우 중요하다. 자신의 노후 삶과 건강에 대해 고민이 된다. 퇴직 후 여생을 위한 구상이 필요하다. 삶은 개인의 역사이고, 미래이기 때문이다.

인생에 정답은 없다. 미래는 미리 가볼 수도 없고 사전 답사도 없다. 현재 하는 일 최선을 다해야 하는 건 당연하다. 퇴직은 새로운 길을 찾아가는 거다. 길이 없다면 새로운 길을 만드는 개척자다. 노후 준비는 빠르면 빠를수록 좋다.

이 책은 인공지능의 시대 삶의 현장에 활용할 수 있는 퇴직자의 삶의 사례와 방법을 안내한다. 행복을 위한 삶의 방법과 다양한 분야의 사례이다. 퇴직을 앞둔 분들에게 퇴직 후 삶을 생각하는 길잡이 역할을 기대한다. 행복한 삶의 방법에 중점을 두고 퇴직 이후의 인생 사례를 제시했다.

퇴직은 후반전 인생이며, 제2의 삶을 사는 출발점이다. 퇴직은 오랜 기간 열심히 살아온 증거이고 영광스러운 일이다. 후반전 인생에 영향을 미치는 근본적인 문제는 할 일과 시간, 건강관리를 강조한다. 삶에 대한 태도가 행복을 좌우한다. 퇴직 후 삶의 태도는 모두 내게 있다. 시도하지 않는다면 얻는 것도 없다. 핑계를 댄다면 무수히 많을 것이다. 모든 것은 마음가짐과 태도가 결정한다.

100세 시대이다. 변화는 새롭게 바꾸는 것이다. 퇴직 이후라도 새로운 기술을 배우고 새로운 지식을 습득하는 게 후반전 인생이다. 바꾸지 않으면 바뀌지 않는다. 잘하는 것을 더욱 잘하도록 일을 찾는 것이다. 나를 성장하게 할 것은 내가 노력하는 방법이다. 무엇인가 세상에 이바지하는 게 롱런(Long Run)하는 삶이다.

이 책은 퇴직에 대해 미리 생각하고 퇴직 후 삶을 이해하는 안내서이다. 이제는 삶에 변화가 필요한 시기이다.

더 멋지게, 더 아름답게, 더 행복하게, 나답게 사는 일이다. 퇴직 후 행복한 삶은 마음 먹기에 달려있다. 삶의 현장에서 즐겁고 행복하시기를 소망한다. 이 책이 퇴직에 대해 긍정적인 생각과 미래 삶에 조금이나마 이바지할 수 있기를 바라며, 이 글을 바칩니다.

더 늦기 전에,
더 늙기 전에,
더 빠르게 읽어야 할 책이다.

2024 여름
강신진 드림

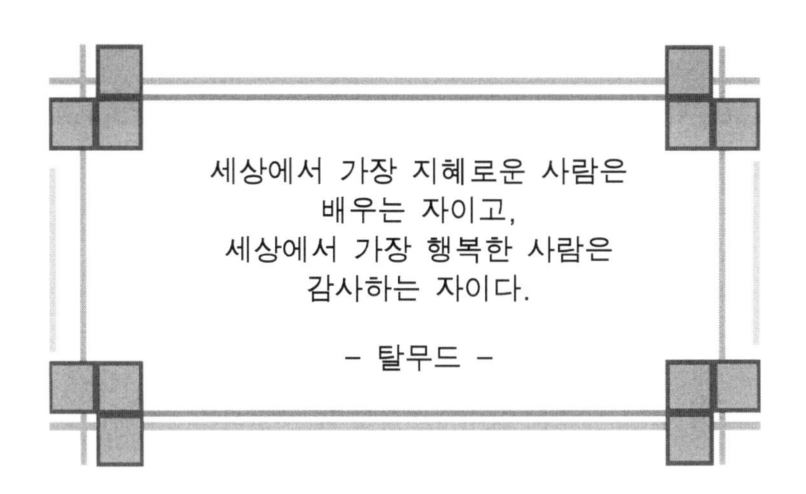

세상에서 가장 지혜로운 사람은
배우는 자이고,
세상에서 가장 행복한 사람은
감사하는 자이다.

- 탈무드 -

배우고 익히니 즐겁지 아니한가?

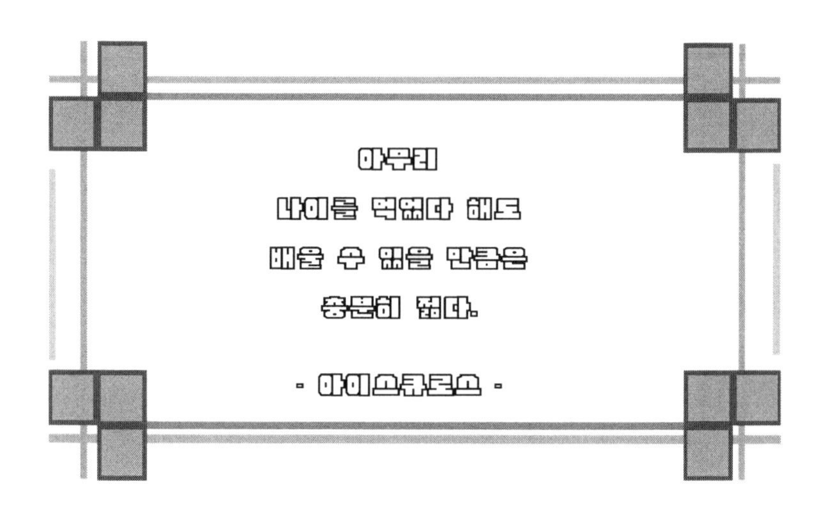
아무리
나이를 먹었다 해도
배울 수 있을 만큼은
충분히 젊다.
- 아이스큐로스 -

1부 배우고 익히니 즐겁지 아니한가?

노벨문학상을 수상한 폴 사르트르(Jean Paul Sartre)는, 프랑스 사상가이며 철학자이고 작가로 활동했다. "인생은 B(Birth)와 D(Death) 사이의 수많은 C(Choice)이다."라는 명언을 남겼다. 인생은 삶과 죽음 사이의 선택(Choice)이고, 기회(Chance)이며, 변화(Change)하며 도전(Challenge)하는 것이다. 살면서 순간순간의 선택과 판단이 매우 중요하다는 의미다. 무엇을 하며 살 것인지, 어떻게 살 것인지를 생각하고 선택하는 시기다.

사람들은 누구나 행복하게 살고 싶어 한다. 모두 행복을 추구하며 살고 있으며, 행복하게 살아야 하는 삶이다.

행복하게 사는 것은 누구나 누려야 할 권리이고 당연한 이야기이다. 직업의 가치가 과거와는 다르게 크게 변화하고 있다. 삶의 가치도 매우 다양하게 변화한다. 공정한 사회, 공평한 세상이 되길 바랄 뿐이다. 개인의 행복이 천차만별이다. 개인 맞춤형 시대의 행복은 자신의 가치관에 달려있다.

세상은 넓고 할 일은 많다

아리스토텔레스는“인간은 사회적 동물이다.”, “행복한 생활은 덕에 의한 경우가 많다. 덕을 실천하는 사람, 덕을 생활 속에 베푸는 사람, 그런 사람에게 행복이 따른다. 행복해지고 싶거든 덕에 의한 생활 해라.”라고 말했다.

이처럼 덕을 베푸는 게 행복이라는 의미로 해석된다. 행복을 도덕적인 생활이라고 한다. 올바른 마음가짐은 건강이고, 은혜를 베푸는 게 아름다움이다. 행복은 하루아침에 달성되는 것이 아니지만 하루하루가 행복이다. 배워서 남 주는 인생에서, 인생이 끝날 때까지 행복하게 살아야 하는 인생이다.

헤르만 헤세의 『행복해진다는 것』에서 “인생에 주어진 의무는 다른 아무것도 없다네, 그저 행복(幸福)해지라는 한 가지 의무뿐….”이라고 했다. 행복은 생활 속에서 기쁘고 즐겁고 만족을 느끼는 상태이다. 행복은 누구나 마음먹기에 달려있다는 의미다.

“나는 행복합니다.” 외쳐본다.

행복한 세상이다.

행복한 삶은 마음 먹기에 달려있다.

“세상은 넓고 할 일은 많다.”라는 명언을 생각하는 시점이다. 퇴직 후 행복을 누리는 삶을 살아야 하는 사명이다. 이 세상에 크게 이바지하는 삶을 살고 퇴직한다. 그동안 직장생활하느라 수고 많았다고 감사의 말을 듣는다면 감사한 일이다.

빅터 플랭크의 『죽음의 수용소』에서, 삶의 의미를 찾아낼 수 있다고 했다. 삶의 세 가지 방식이란 무엇일까?

첫째, 무엇인가를 창조하거나, 어떤 일을 함으로써
둘째, 어떤 일을 경험하거나, 어떤 사람을 만남으로써
셋째, 피할 수 없는 시련에 대해,
어떤 태도를 취하기로 결정함으로써

그가 말하는 삶의 의미는 자신이 해야 할 일, 자신밖에 할 수 없는 일을 찾는 거다. 그리고 사랑과 고난을 받아들이는 거다. 역경은 다 지나가리라. 역경은 경력이 되고 능력이고 이게 인생의 지혜라는 의미다. 삶이 희망이고 행복이다.

지금, 이 순간 무엇을 할까?

인생에서 미래를 생각하는 것은 중요하다. 과거를 바꿀 수는 없지만, 미래의 삶에 영향을 미칠 수는 있다. 나이 먹 건 누구나 다 마찬가지이지만, 이제 해야 할 일은 선택이요, 필수이다. 지금 나이를 먹으니 지속할 수 있는 직장이 없다고 하기엔 아직 젊다. 세상에 이바지하는 무엇인가를 준비하는 시기다. 이 세상엔 할 일이 너무나도 많다. 보물 찾듯이 찾아서 나를 위하고 세상을 위해 할 일이 남아 있다.

퇴직하면 새로운 인생의 시작이다. 미래를 바꾸려면 변화하려는 마음가짐이 가장 중요하다. 나를 위하고 사회에 기여하는 일을 찾아보는 게 중요하다. 과거는 일을 잘하기 위한 정보공유와 도움, 협력의 관계이다. 이제는 나눔과 베품을 공유하는 실천의 삶이다. 이제는 행복을 나누어 주는 삶이다.

퇴직 후 내 삶의 미래는 스스로 만드는 도전이고 선택이다. 세상은 넓다. 내가 잘하는 분야 할 일을 찾으면 많다.

더 나은 미래를 위한 방법이 Helper이다. 필요한 누군가에게 영향력을 미치는 일이다.

미래는 변한다

세상에 변하지 않는 것은 없다. 다만 변하는 속도와 방향을 알 수 있다면 미래 예측 전문가다. 변하는 시대 나도 변해야 산다.

교육의 본질은 무엇인가?
학교는 무엇을 가르치는가?

우리나라의 교육이념은 홍익인간이다. 인간을 널리 세상에 이롭게 하라는 의미다. 교육의 본질은 이럴진대 현 상황은 교육의 정체성 위기다. 위기를 극복할 답이 그리 간단치 않다. 요즘 공교육이 신뢰받지 못하고 있다. 이유는 사교육은 번창하고 사교육 기관은 성장하는데, 공교육기관은 환경이 이에 미치지 못하기 때문이다.

인성교육 창의성 교육의 중요성을 강조하지만, 실상은 입시 교육이 대세다. 입시가 교육의 본질이 되어가는 형국이다. 학교에서 열심히 가르치는 선생님께 존경은커녕 존중이라도 해 준다면 다행이다. 학생에게 교육과 보육을 함께 하라고 한다. 가르칠 수업 시간과 업무는 더욱 늘어나는 데 인원을 줄이고 있다.

세상이 변하면 사회도 변하고, 사회가 변하면 교육도 변해야 한다. 학교의 변화는 더디고, 교직 사회도 쉽게 바뀌지 않는다. 내 주변 환경은 변화하지만, 내가 변하지 않으면 어떻게 되겠는가. 세상 변화에 빠르게 적응해야 한다.

세상은 빠르게 변화하는 데 교육 제도가 변화하지 않는다며 "바꿔야 한다. 바꿔보자." 외친다.

교육 제도는 조금씩 변했지만, 수능 위주의 학교 교육이 대세다. 학교는 세상의 변화보다는 시험제도의 변화에 민감하다. 대학 진학을 위해 수능 시험을 보는 과목의 성적만을 중요시하는 학교가 되어가고 있다. 조금씩 시대의 변화에 적절하게 바뀌는 게 시험제도이다. 대학의 학과가 미래의 진로와 직업을 결정하고 연봉이 결정되기 때문이다. '아니다'라고 누가 말하겠는가?

학교의 수업 환경은 변하지 않고 학급의 학생 수도 지역에 따라 공평하지 않다. 어쩔 수 없는 환경엔 빠르게 적응해야 한다. 선생님들은 사명감을 가지고 열심히 학생을 가르치고 있다.

교사란 어떤 존재인가?
나는 가르치는 덕후인가?

교사는 배워서 남 주는 삶이다.

수업에 열정과 사랑으로 자기 능력을 발휘하는 게 유능한 교육 실천가이다. 우리나라 선생님들은 교육에 희망의 등불이 될 것이라 소망한다. 교사에게 부여된 소명(mission)은 학생을 제대로 잘 가르치는 것이다. 교사는 희로애락의 생활이고 동분서주의 삶이다.

교사로서 보람찰 때도 있고, 그만두고 싶어질 정도로 자존심이 심하게 상하기도 한다. 또한 교사는 학생, 학부모와 관계가 힘들 때도 많다. 재직하고 있는 기간 인내하고 지낸다면 교사로서 보람과 긍지를 느낄 때도 있다. 교사 생활에 만족감을 유지하려면 초심을 유지하며 열심히 하는 뒷심이 중요하다. 학생을 사랑하는 마음이 가장 중요하다. 또한 감사하는 마음은 일상의 스트레스를 이길 수 있는 활력소이며 보약이다.

교사는 완전한 인간이 아니다. 스스로 생각하고 궁리하고 탐구하게 가르친다면 좋은 방법이다. “왜 그럴까”를 늘 생각하는 안내자 역할을 하는 것이다. 탐구하는 태도와 자세를 강조하지만, 정답을 빠르게 요구하는 경우가 많다. 인생은 세상을 살아가는 데 필요한 분야를 배우며 지내는 삶이다.

과거 교직은 "스승의 그림자는 밟아서도 안 된다."라는 의식이 있었다.

교사의 직업관을 어떻게 생각하는가?

교사는 사랑과 봉사, 희생을 요구하는 성직관 이다.

가르치는 학생에 관한 관심과 사랑이 제일이다. 교원에게 특별한 사명감과 소명 의식이 필요하기 때문으로 보는 성직관 이다.

또 다른 하나는, 가르치는 일은 노동으로 보는 노동자 교직관이다. 학교라는 직장에서 수업과 업무의 노동을 제공하고 보수를 받는다는 경제적 측면이 대두되고 있다.

전문직관은 전문직인 지식과 기술을 가지고 국가 공인 교사자격증을 가진 전문가가 학생을 가르치는 직업으로 보는 점이다. 교사를 전문적인 직업으로 보는 관점이다.

모두 옳은 표현이다. 다만 세상 모든 직업은 다 천직(天職)이고, 교사는 천직(天職)의 하나이다. 여기서 말하는 천직은 천한 직업 천직(賤職)이 아니라는 말이다. 이 세상에는 천직(賤職)은 없다. 다만 남에게 정신적, 물질적 피해를 주는 천한 행동을 하는 사람이 있을 뿐이다.

모든 직업은 사명감과 책임감으로 세상에 이바지한다. 특히 교사라는 직업은 거룩하고 자랑스러운 직업이다. 교직은 천직(天職)을 넘어 거룩하고 성스러운 직업이다. 지금도 교직은 존중과 배려가 존재하길 바라며, 가르침은 가치 있고 보람 있는 일로 중요시 해야 국가의 미래가 밝다.

교사가 행복해지려면 좋은 인간관계가 필요하다고 말한다. 특히 학생과의 관계, 학부모와 관계이다. 요즘엔 교장, 교감, 부장 교사, 저 경력 교사의 관계도 중요한 시대다.

학교에서 무엇을 원하는지, 그리고 무엇이 진정한 만족감을 주는지를 생각해 보는 것이다. 진정한 성장은 마음가짐의 변화를 통해 이뤄진다. 지금까지 교직은 각자도생의 삶이 많았다. 교사의 행복과 만족은 학생과 원만한 관계가 가장 중요하다.

새로운 미래가 온다

새로운 미래는 내가 개척하는 삶이다.

은퇴는 새로운 시작이다. 나를 새롭게 하는 힘이요 자신감이다. 무엇인가 색다르게 새롭게 할 능력은 없다. 그동안의 이력은 단 하나다. 학생을 가르치는 일밖에 없다. 내 능력을 알아봐 준 사람들을 만난다면 더욱 가치 있는 일이다. 세상은 나를 알아봐 줄 존재를 내가 찾는다.

요즘도 세상은 넓고 퇴직자가 할 일은 찾아보면 많다. 이제 진짜 세상에 들어선 것이다. 학교라는 보호되는 공간에서 삶을 마감하고 이젠 정글인 세상에서 사는 삶이다. 퇴직 후 도전정신을 회복해야 한다. 기존의 가르침에 익숙함을 버리고 새로운 분야에 도전하는 삶을 과감하게 하는 일이다. 거창한 목표보다는 하루하루 즐거움을 찾는 거다. 호기심을 갖고 최선을 다하다 보면 변화에 적응하기 마련이다

내가 좋아하거나 잘하는 것을 맘껏 펼치는 것이 내 미래다. 맘껏 즐기고 재미있는 게 덕후의 세상이다. 이런 삶의 가치가 삶의 의미이다. 내 가치관은 무엇인지 생각하게 된다.

세상이 변하니 나도 변해야 한다.

변하지 않으면 미래는 바뀌지 않는다. 퇴직 후에도 30~40년 살아야 하니 일하는 기간을 늘려야 한다. 정년 후 일하는 방식엔 정답이 없다. 혼자 있는 시간이 많다면 새로운 걸 배우기 시도해야 하는데, 특별히 배울 게 없을 수 있다. 지금 뭔가 새로운 것을 배우려면 도전해야 한다. 무엇을 배울까, 무엇을 할 수 있는지 생각할 시간이 필요하다. 돈을 벌겠다는 생각보다는 즐기는 일을 찾는 게 쉬운 일은 아니다.

모든 게 내 마음먹기에 달려있다.

내 인생 주도적으로 펼쳐나가는 에너지가 될 것이다. 나를 사랑하고 꿈과 희망을 품으면 행복을 내가 만드는 것이다. 내가 가진 마음을 찾는 내 마음이다. 마음에 집중하면 삶의 의미를 생각하게 된다.

새로운 미래는 은퇴 후의 일을 준비하는 삶이다. 나를 수시로 점검하고, 남은 인생 능력을 발휘할 새로운 꿈을 가져야 한다.

배우고 익히는 삶이다

지금까지 배워 남 주는 삶을 살았다.

과거의 추억이 모두 생각난다. 그동안 건강하게 능력을 발휘하며 행복하게 지냈다. 퇴직하니 영광이고 축하받을 일이다. 교직을 되돌아보며 여러 감정이 올라오게 된다. 꿋꿋이 가르치는 일을 했다. 그동안 배우고 익히며 가르치는 교사로 세상에 이바지하는 삶을 살았다. 학생들에게 가르친다는 것은 정말 보람차고 기쁜 일이며, 보람과 만족을 느끼는 일이다.

배워서 남 주겠다고 했지만 나를 위한 삶이다. 배우는 것은 지식을 습득하고 인격을 형성하는 삶이다. 배우고 가르치며 가족의 생계를 책임지다 보니 어느덧 퇴직이다. 지금은 잘한 일, 잘못 한 일이 모두 생각난다. 그 일을 생각하고 반성하며 성찰하게 되니 깨달음을 얻는다. 나 자신을 위안하며 더욱 감사함을 느낀다. 이제는 배우고 익히는 행복한 일을 할 때이다.

교사의 삶이란 배워서 가르치는 일을 평생 한다. 다른 사람과 비교하면 오십보백보다. 교사는 나이를 떠나 사회의 가치와 규범을 가르친다. 교사로 내가 살아보니까 학생들의 마음속에 좋은 추억으로 기억되길 바란다. 그렇지만 가르치면서 이를 알지 못했다. 좋지 않은 추억을 준 학생들에게 안타깝고 미안할 따름이다. 지금 생각해 보니 학생들의 마음을 얻는 것을 깨닫는다.

교육은 기다림이다. 지금의 상태를 인정하고 지지하고 격려하는 거다. 교사의 마음가짐이 기다리며 인내하는 걸 지금 이해한다. 이 사실을 미리 알았더라면…. 조급한 마음으로 지낸 게 부끄럽다. 꾸준한 열정으로 가르치는 게 교육임을 이제야 알게 된다. 교육은 인내하는 것이며, '피그말리온'을 바라본다.

퇴직은 내 남은 인생 첫발을 디디는 순간이다.

살아보니 교직 인생 뭐 별거 없다. 그냥 그때그때 최선을 다하면서 즐겁고 행복하면 그뿐이다. 휴식을 취하는 것은 중요하다. 일만 하고 놀지 않으면 재미없는 사람이 된다. 지금 내가 사는 이 순간이 제일 중요하다. 무엇을 하든 지금 하는 일이 가장 소중하다고 톨스토이는 말했다. 지금이 가장 소중한 순간이다.

이제는 무엇을 하든지 자유다. 제2의 삶을 위한 준비를 한다. 사회 공헌도 좋고 나를 개발하는 것도 방법이다. 내 인생의 가장 좋은 추억이 무엇인지 기록하고 자서전을 만들면 좋은 일이다. 기억이 흐릿해지면 내 추억은 어디로 갈까? 나중에 후회하지 않으려면 마음껏 즐기고 기록하는 삶이다.

새로운 미래는 준비하는 삶이다. 새로운 꿈을 가져야 한다. 책을 읽는 습관을 만드는 것이다. 미래를 위해 책을 읽고 새롭게 공부하는 일이다. 그동안 경험을 세상을 위해 전하는 일이 할 일이다. 가르치며 경험한 일은 가치 있는 일이다. 내가 가진 능력을 세상에 이바지하는 방법을 찾아서 펼치는 도전하는 노력이 홍익인간의 삶이다.

아니 벌써

교사 대부분 젊은 시절부터 열심히 가르치며 지냈다. 아니 벌써 퇴직이라니…. 요즘 50대 교사들이 명예퇴직을 신청하는 경우가 많다. 지혜는 쌓여 가는데 벌써 명예퇴직을 한다. 누구나 연륜이 쌓이게 되면서 일정한 나이가 되면 퇴직하게 된다. 나를 더욱 집중해서 객관적으로 봐야 한다. 노년의 삶은 매우 길다는 걸 생각해야 한다. 내 마음 한편에는 퇴직 후를 생각한다. 퇴직 후 '무엇을 해야 하지' 막막하다. 일단 지금 하는 일에 최선을 다하자.

퇴직 후 인생 2막엔 새로운 미래를 위하여 후반전을 준비해야 한다. 퇴직 후는 후반전 시작이다. 재직시절의 생각과 퇴직 후 현실과는 사뭇 다르다고 한다. 은퇴 후의 삶을 사는 현실을 실감하기엔 아직이다. 지금 생각하면 건강하게 사는 게 제일이요, 경제와 금융이 중요함을 뼈저리게 실감한다.

또한 바라는 사항은 교사의 열정을 인정해 주는 교육환경이 조성되길 기대한다. 그뿐만 아니라 교사에 대한 배려와 존중이 이루어질 수 있는 사회를 소망한다.

퇴직 예정자 교육은 필수다

공무원연금공단에서는 퇴직 전 모든 공무원에게 교육 기회가 주어진다. 퇴직 전 예정자 교육이다. 퇴직자 교육은 행정실에 신청해서 경험하는 게 퇴직 준비에 의미가 있다. 제주도, 수안보, 천안 등 연수가 진행되고 있다. 퇴직 전에 연수를 반드시 신청하여 경험하길 권장한다.

교육 내용은 기관 성향에 따라 다르지만, 연금 관련 내용, 퇴직 후 제2의 삶, 세금 문제, 노후의 삶과 건강, 귀농 귀촌, 창업, 가족관계 등 다양하다.

교사들은 대부분 방학을 이용해 다녀온다. 학기 중에 수업이 있어 거의 연수를 포기하지만 그래도 교육받는 게 좋다. 이 기간이 2박 3일부터 4박 5일 기간이다. 이게 전부는 아니지만 한 번 이상 다녀와서 생각하게 된다. 그런데 이 연수를 한 번도 안 받고 퇴직하는 분은 안타깝다.

요즘 명예퇴직이 증가하고 있다. 명예퇴직 신청의 주된 이유는 사정이 많다. 학부모 민원, 아동학대 신고 등으로 교권이 추락하고 교사에 대한 자존감마저 크게 떨어지니 당연한 결과다.

공무원연금공단(www.geps.or.kr)은 매년 1월 전반기, 7월 후반기 퇴직 예정 공무원 퇴직 준비교육 운영계획을 공문으로 안내한다.

www.geps.or.kr
미래설계 : 퇴직예정일로부터 5년 이내 공무원 재취업, 창업, 사회 공헌, 귀농 귀촌, 금융 전문 : 퇴직예정일로부터 3년 이내 공무원 귀산촌, 귀어촌, 귀농귀촌(특별), 여가활용 : 퇴직예정일로부터 1년 이내 공무원
연금업무지원시스템에서만 교육 신청 가능(공문, 전화, 팩스 신청 불가) - 교육 신청 전산 권한이 없는 단위기관(학교 등)은 상위기관(교육청/교육지원청)에서 신청 개인별 1개 과정만 신청 가능(중복신청 불가)

교육을 희망하는 공무원의 소속기관 교육(연금)담당자에게 신청한다.

신청은 연금 공단 홈페이지(www.geps.or.kr)

→ 연금복지 포털 바로가기(로그인) → 평생교육 →

→ 교육과정 신청(평생교육)한다.

건강상 문제로 명예퇴직을 하겠지만, 학생 민원과 행정업무 곤란한 정도가 이유다. 교사가 교육과 보육을 함께 하여야 하며 행정업무도 증가했기 때문이다. 또한 학생 지도의 어려움과 학부모 민원, 잡무로 인한 스트레스 증가로 나타났다. 노후를 설계하고 제2의 인생을 보내기 위해 명퇴한다.

명예퇴직 대상은 교육공무원, 사립학교 교원으로 재직기간이 20년 이상이고, 정년퇴직 일부터 최소한 1년이 남았을 때 명예퇴직을 할 수 있다. 명예퇴직 신청은 시도교육청 명예퇴직 시행 공고(보통 매년 5월, 11월경 공고)공문을 발송한다.

공무원연금공단에서 정한 신청 기간 내에 명예퇴직수당지급신청서, 명예퇴직원, 명예퇴직자 요건심사서, 연금 가입내역서. 인사 기록 사본 및 정관(사립학교 교원 해당) 등을 갖춰 신청한다.

내 연금 신청하기

공무원연금공단에 연금을 신청한다. 연금은 대한민국의 모든 공무원이 받는다. 단 연금 수령자가 직접 청구하지 않으면 어떤 혜택도 주어지지 않는다.

<table>
<tr><td>※ 연금을 내 역서 확인 방법
https://www.geps.or.kr</td></tr>
<tr><td>1. 공무원연금관리공단 홈페이지 접속
→ (인증서) 로그인→ 첫 화면 현직 공무원 내연 금보기 → 상단의 민원서류 발급→ 민원서류 발급 온라인 신청→ 공무원연금 가입내역서→ 인터넷 발급(제출용) 체크→ 출력
2. 공무원연금공단(1588-4321)으로 전화 연락 후 팩스로 받을 수도 있음.</td></tr>
</table>

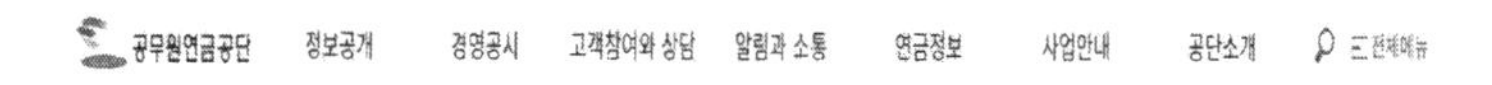

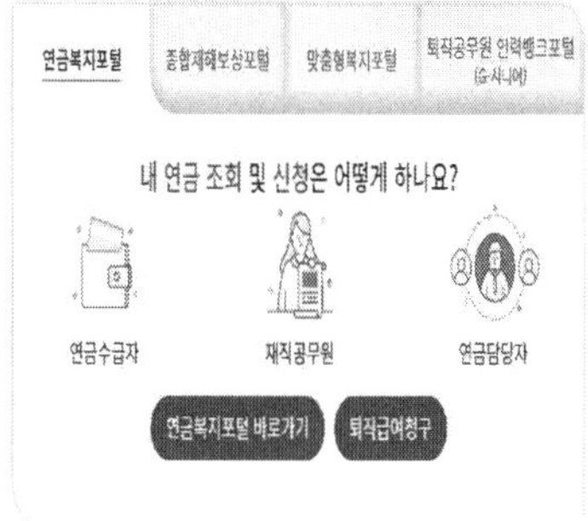

대한민국 교사는 현재 초·중등교원의 정년이 62세이다. 정년에 이른 날이 3~8월에 있는 경우에는 8월 31일, 9월에서 다음 해 2월에 있는 경우에는 다음 해 2월 말일에 각각 퇴직하게 된다.

우리나라는 교사가 퇴직하면 각자도생이다. 특히 교사의 능력은 하나의 도서관 이상이다. 퇴직 교사들의 자원을 사용하질 못하고 있는 게 문제다. 국가의 큰 낭비가 아닐 수 없다.

퇴직하면 그날로 하던 일이 끝이다. 하지만 관련분야에 재취업하여 일을 연장한다면 금상첨화이다. 교육의 비법과 장점을 살리기도 하지만, 대부분 사장되는 경우가 많다.

대부분 여유 시간도 생기니 취미생활과 여행도 하며 지내기도 한다. 지금까지 지켜본 바에 의하면 그렇다. 일부는 가진 능력을 활용하여 관련 분야에 도전하는 일도 있다. 퇴직 후 삶은 각자도생이다.

건강을 위한 규칙적인 활동

100세 시대라지만 내 몸이 건강해야 한다. 정년퇴직 때까지 버티려면 건강해야 한다. 건강하다면 정년까지 하는 게 좋다고 한다. 퇴직 후에는 하는 일이 없어도 바쁘고, 하는 일이 있으면 더 바쁘다. "백수가 과로사한다"라는 말이 있다.

새뮤얼 스마일즈는 "젊은 시절 노년의 불행과 궁핍함에 대비하라. 노년의 불행과 궁핍함으로 우리의 지난날을 평가할 수 있다."라고 했다. 지혜의 말이다. 누구나 태어나면 청년 시절과 중년, 노년에 일은 정해진 삶이다. 불행해지고자 사는 사람은 아무도 없다. 삶에 주어진 시간은 누구에게나 공평하다. 누구나 편안한 삶, 건강한 삶, 경제적으로 여유로운 삶이 지속되기를 희망한다. 이 말을 깊이 새겨듣고 실천하는 게 지혜로운 삶이다.

톨스토이는 "이 세상에 죽음만큼 확실한 것은 없다. 그런데 사람들은 겨우살이를 준비하면서도 죽음은 준비하지 않는다. 라고 했다. 생각지도 못한 죽음이란 의미다. 죽음이란 언제 오는지 아무도 모르는데 준비하라고 하니 정신이 번쩍 든다.

윈스턴 처칠은 “돈을 잃은 것은 적게 잃은 것이다. 명예를 잃은 것은 크게 잃은 것이다. 용기를 잃은 것은 전부를 잃은 것이다.”라고 했다. 이를 비슷하게 바꾼 말이 유행이다. “돈을 잃는 것은 적게 잃은 것이요, 명예를 잃은 것은 크게 잃은 것이요, 건강을 잃는 것은 전부를 잃는 것”이라고 한다. 잃어버리면 다시 찾기가 어려운 것이 바로 건강이다.

세상의 삶은 다양하다. 이미 살아온 사람들이 하는 한결같이 공통된 명언이다. 어떤 이는 부와 명예를, 어떤 이는 권력을, 또 어떤 이는 사랑을 꼽는다. 나이가 들수록 돈도 명예도 사랑도 중요하지만, 건강이 제일이다. 건강을 유지하려면 좋은 방법은 다 안다. 적당한 운동, 걷기, 하체 단련 등…. 의사들은 투자해야 한다고 말한다. 어디에 투자하느냐 묻는다면 자기 몸에 투자하라고 전한다. 제일 가치 있는 투자가 바로 내 몸이라고 전한다. 제대로 실천하지 않는 게 우리네 삶이다.

“노력은 배신하지 않는다”라는 말이 있다. 미래를 준비하는 노력도 마찬가지이다. 미래를 준비하는 일이 한두 가지는 아니다. 여유로운 삶을 위한 여가 취미나 특기 등 많다. 지금부터 행복한 삶을 위한 일을 살펴보고 실천하는 게 내 행복다.

"건강한 신체에 건전한 정신이 깃든다."라는 명언은 영원하다. 내 몸 건강이 보물이다. 균형 잡힌 삼시세끼를 규칙적으로 잘 먹는 생활 습관이 중요하다. 생활비는 개인의 습관이나 경제적 상황 등에 따라 다르다. 위장과 치아가 튼튼할 때 잘 먹는 것이요, 관절이 튼튼할 때 여행도 가는 것이다.

"일찍 자고 일찍 일어나는 것은 건강, 부(富), 지혜를 낳는다."라고 벤저민 프랭클린은 말했다.

나는 어떤 상태인가?

나이가 들수록 질병 위험은 커진다. 노후엔 의료비 비중은 점점 늘어난다. 노후 대비용 보험에 가입하는 것이 비용적인 면에서도 효율적이다. 몸이 달라지고, 정신상태가 달라지고, 나날이 달라진다. 시시때때로 다르다. 건강에는 대가가 따른다. 꾸준한 운동과 균형잡힌 식사, 내 마음의 평화가 필요하다. 퇴직하고 나이를 먹으면 육체적인 건강, 마음의 건강, 정신 건강이 제일 중요하다.

세상은 나를 원하는가?

한국 총인구에서 65세 이상 고령인구가 차지하는 비율이 꾸준히 늘고 있다. 나이 먹고 무엇을 하며, 100세 시대는 어떻게 적응하며 살 것인가가 중요하다. 나이 먹고 늙어서도 평생 할 수 있는 자신의 취미나 특기는 매우 좋은 일이다. 웰빙과 웰다잉의 시대이다.

아리스토텔레스는 “사람은 사회적 동물이다.”라고 했다. 이 세상에서 가족과 사회의 관계 속에서 사는 게 인간의 삶이다. 직장에서 은퇴해도 계속 세상에서 지내야 하는 이유다. 건강관리 잘하면 무병장수, 만수무강의 삶이 펼쳐지는 세상이다.

100세 시대이다. 젊었을 때부터 특기를 가지고 평생 직업을 잘한다면 더욱 바랄 게 없다. 좋아하는 일이든 잘할 수 있는 일에 능력을 길러야 한다. 은퇴 후 조금이나마 수입이 생기도록 하는 것이 중요하다. 취미는 나이가 들어서 준비하기보다는 미리 준비하면 노후에 일을 이어 나갈 수 있다. 평생 할 수 있는 취미나 특기는 비법이 쌓이게 되기 때문의 노후에도 자랑스럽다.

퇴직 후 삶이 뭔지는 잘 모르겠지만 삶의 방식이 달라져야 할 것 같다는 생각이 든다. 뭐라도 해야 하는데, 내 미래가 잘 그려지지 않는다. 다른 일을 하면 훨씬 더 잘할 수 있을 것 같은 느낌은 없다. 교직에서 시간의 중요성을 잘 몰랐다. 방학이 늘 한 달 정도였는데 무얼 했는지….

내가 있을 곳은 여기뿐이다. 최선을 다하며 지내는 게 행복이다. 지금은 가르침에 보람과 만족을 기다리지만, 이젠 연금을 기다린다.

행복한 삶을 사는 비결은 무엇일까?
세상이 나에게 원하는 게 무엇일까?
나는 세상에 무엇으로 이바지할까?

내 미래를 예측하지 못한다. 단지 지금 변해야 한다고 생각한다. 변화해야 한다고 생각만 하지 변하지 못했다. 이제 결심하고 실천한다. 누가 뭐라 하든 상관없다. 내가 세상에 도움이 된다고 생각하고 이바지할 일을 찾아본다.

정년퇴직이다

퇴직은 반기지 않아도 누구에게나 다가오는 일이다.

공무원은 정년 보장과 노후 연금 수령, 일과 생활의 균형이 보장되기에 여전히 인기가 높다. 최근에는 공무원에 관한 생각도 달라졌다. 과거보다 사회 인식과 처우가 낮아지고 있다. 교사는 만 62세가 정년이다. 교사 생활의 직업관을 유지하며 정년퇴임을 하고 사회로 당당하게 돌아갈 수 있어야 한다.

100세 시대 어떻게 살까?

사회에서 무엇을 할 수 있을까?

100세 시대 퇴직 이후 40년의 생활을 감당해야 한다. 안정적인 소득 연금으로 생활하게 된다. 누군가는 또 다른 일을 하며 추가 수입도 얻을 것이다. 노후를 대비해서 돈을 모아두었다면 부러움의 대상이다. 퇴직하고 인생 후반부 30~40년의 생활을 설계해야 할 때다. 누구나 행복한 삶, 건강한 삶을 소망하며 살고 있다. 학교는 가르치는 삶이다. 평생 가르치는 삶을 살다 보니 퇴직하면 가르치는 삶을 연장할 수 있을까?

통계청에 의하면, 인생 후반이 불행하다고 느낀다고 하는 비중이 증가하고 있다고 한다. 인생 후반전 행복하게 지내는 방법을 궁리하게 된다. 지금 가르치는 일은 하는 시점에 평생 즐길 취미나 여가 활동을 하면 행복하다고 한다. 현직에서 하지 못했던 취미 여가 활동이 필요하다. 텔레비전 시청, 합창, 여행, 그림 그리기, 악기, 댄스, 운동, 등산, 골프, ….

미래는 지금의 삶이 좌우한다. 미래를 위한 생애 설계가 필요하다. 멋진 인생 후반전 삶을 위해 준비한다.

현직과는 전혀 다르다는 퇴직자의 말이다. "자존심 다 내려놔야 한다", "을로 살아야 한다"하며, 무료하니 "소일거리가 필요하다"고 한다.

퇴직 후를 걱정하게 된다. 청소년에게 꿈을 가지라고 가르쳤다. 그러면서 정작 내 꿈을 꾸었을까? 젊은 시절에 교사가 되어 내 꿈을 생각한 적이 없다. 미래는 청소년만 생각하는 게 아니다. 학생을 가르치는 나도 미래를 생각해야 한다.

퇴직 후 그럴듯하고 멋진 일은 생각지도 않는다. 당연히 적은 임금을 받게 돼도 괜찮다. 일거리가 있다는 자체가 충분하다. 자존심을 내려놓고 주위를 둘러보면 할만할 일을 찾아보는 일이다.

하고 싶은 일 잘하는 일을 한다면 얼마나 행복할까?
어쩔 수 없이 하는 일이라면 즐거울까?
최근 성취감이나 활력을 주는 게 있을까?
고독과 외로움을 극복하는 방법은?
노년기에 최고의 취미는 무엇일까?

퇴직 후 제2의 일 제2의 인생 후반전을 살기 위한 준비는 여러 가지다. 더 벌 수 있는 일을 찾는 것 배우고 익혀서 시작하면 된다. 창업, 자격증 취득, 귀촌하여 취미나 여가를 위한 배우는 일이다. 예를 들면 악기를 잘 다루거나 미용 기술이 있어 사회 기여와 봉사활동 하는 건 자랑스러운 일이요 뿌듯한 삶이다.

중년에 어떤 공부를 어떻게 했느냐에 따라 노년이 달라질 수밖에 없다. 살아가는 모든 순간이 공부 과정이다. 체계적인 진로 계획과 실행을 위한 준비는 필수이다. 자기만족을 추구하는 세상이다. 퇴직하면 새로운 도전을 하기엔 적지 않은 나이다. 삶이 즐겁고 행복할 수 있다면 다행이다. 퇴직하면 해방감이 크지만, 소속감 상실로 "무료함을 극복하기도 힘들다"라고 한다. 어떤 분은 전문 강사로 초빙되어 강의도 한다. 교직 경험을 다시 살리는 기간제 교사도 한다.

현재 국민연금공단과 통계청에 의하면 우리나라 노인 빈곤율이 거의 80%에 육박한다고 한다. 은퇴자는 나이가 들어감에 따라서 가장 큰 두려움은 빈곤이라고 한다. 경제적으로 일정 부분이 해결된다고 해도 고독과 외로움을 해결하지 못하면 삶의 질이 엄청나게 떨어진다.

지금 내 나이를 헤아려 보니 환갑을 지나고 있다. 젊은 시절의 설레는 감정이 점점 사라지고, 책 읽고 글을 쓰며 산다. 나이가 들수록 삶이 무료하다고 한다. 대부분 소일거리가 없기 때문이다. 독서를 취미로 갖게 되면 고독, 외로움을 아주 쉽게 해결할 수 있다. 마음의 양식을 채우느라 정신이 없다.

책을 읽고자 책상에 앉는다. 새로운 세상을 만날 수 있다는 설렘을 기대하며 책을 편다. 독서를 통해서 몰랐던 세상을 하나씩 알아가는 재미가 크다. 세상에 대한 배움이 중요하다. 자원봉사 의미 있는 활동, 내가 자아실현 하는 게 중요하다. 성취감 자아실현 행복감을 느낀다. 취미나 특기가 특별난 게 없다. 체력은 떨어지는 데 정신은 멀쩡하다. 세상을 살아가다 보면 뜻대로 되지 않는다는 사실을 이제야 깨닫는다.

강창희 미래연구소장 도서 『가장 확실한 노후대비』 엔 "가장 확실한 노후 준비가 건강, 돈, 소일거리"라고 한다. 퇴직 이후의 삶 노후 불안해할 필요는 없다. "평생 현역으로 지내는 길이다."라고 강조했다.

교사가 퇴직하면, 연금이나 시간이 충분한 건 아니다. 누군가는 소일거리나 경제적인 삶의 여유를 찾기 위해 일을 하게 된다. 그렇지만 사회에선 교사의 경험을 원하는 곳이 많지 않다. 누구나 살아오면서 알게 된 경험, 지식, 지혜, 비법들이 풍성하게 쌓인다. 이런 지혜를 공유하거나 전하면 좋을 텐데….

퇴직 후 갈 데가 없다. 오라는 곳은 더욱 없다. 좋은 경험이 공유되지는 않는다. 지금이라도 좋은 선택을 해갈 수 있다면 바랄 게 없다. 지금도 뜻대로 안 되니 답답할 때도 많다. 하지만 퇴직 후에도 무슨 일이든 기쁜 마음으로 하겠다는 긍정적 마음가짐이 중요하다.

나이가 들어서도 일하는 건 큰 자랑거리다. 100세 시대, 창작의 시대에 내가 잘할 수 있는 일을 찾는다.

교사의 삶

교사의 삶은?
좁게 보면 교실이나,
넓게 보면 온 세상이라.

깊게 보면 바다 같은 사랑이요,
높게 보면 하늘과 같은 푸르름이다.

작게 보면 분필이요,
크게 보면 태산이라.

교사의 삶은?
짧은 순간 비극이나,
길게 보면 희극이라.

2부

은빛 청춘 지금 시작이다

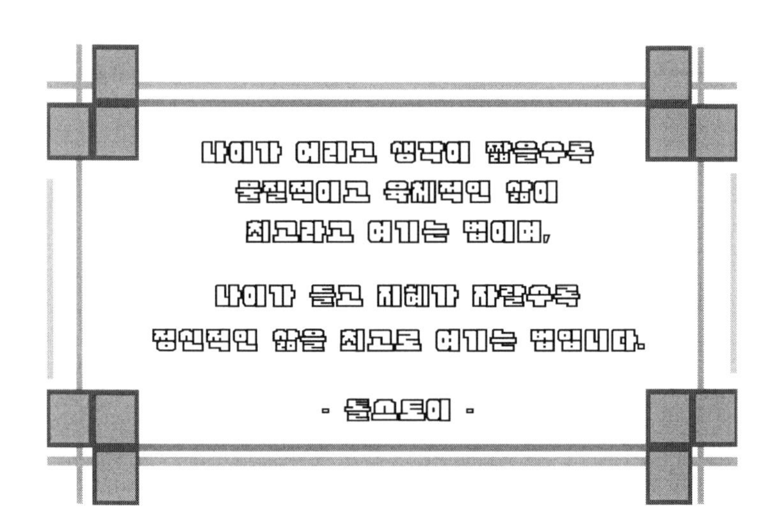
나이가 어리고 생각이 짧을수록
물질적이고 육체적인 삶이
최고라고 여기는 법이며,
나이가 들고 지혜가 자랄수록
정신적인 삶을 최고로 여기는 법입니다.
- 톨스토이 -

2부 은빛 청춘 지금 시작이다

제2의 삶 후반전 인생이다. 그동안 직장 생활하느라 수고 많았다고 감사의 말을 듣는다. 지금 나이를 먹으니 지속할 수 있는 일이 없다고 하기엔 아직 젊다.

퇴직 후 행복한 삶을 누리려면, 건강하게 활동해야 한다고 의사 선생님 말씀이 생각난다. 은퇴 후에도 하고 싶은 일을 하려면 건강 유지가 중요하다. 퇴직 후 뭐하지. 퇴직은 주도적인 삶을 사는 세상이다. 건강해야 평생 학습도 하고 즐겁게 지낼 수 있다. 이제부터는 황금빛 내 세상이다. 행복한 삶은 마음 먹기에 달려있다. 퇴직은 오랜 기간 열심히 살아온 증거이고 영광스러운 일이다. 직장인의 일상은 바쁜 일정과 주어진 일의 연속이다.

이 책은 퇴직 후 다양한 삶의 방법에 중점을 두고 새로운 삶의 사례를 제시했다. 삶의 현장에 활용할 수 있는 일부 사례와 하고 싶은 일의 방법과 방향을 담았다.

내 인생 후반전 시작이다

WHO의 자료를 인용한 국가지표체계에 따르면 한국인의 건강수명은 2000년 67.4세에서 2019년 73.1세로 5.7년 정도 늘어났다. 앞으로 건강수명은 증가하게 될 것이다. 직장에서 퇴직은 당연하게 받아들이고 일상을 유지하는 삶이다.

내 인생 후반전 시작이다. 새롭고 즐겁고 의미 있는 일에 도전하는 삶이 시작된다. 퇴직하면 모든 게 새롭게 겪는 일들이다. 노후 준비는 선택이 아니라 필수다. 노후 준비엔 건강, 재무 상태, 취미나 여가활동, 대인관계 등을 살펴본다.

퇴직하는 다음 날부터 갈 곳이 없다. 오라는 곳이 있다면 얼른 나가는 게 기쁜 일이다. 아마도 줄어들 것이 뻔하다.

정년퇴직 후의 일상은 대동소이하다. 출근과 업무가 없으니 여유로운 상태가 된다. 크게 신경 쓰이거나 걱정할 일이 없게 된다. 시간이 많으니 가고 싶은 곳 여행하고 즐기게 된다. 퇴직한 교사의 행복한 삶을 가치 있게 누리는 사례를 살펴보는 일이 가슴 벅찬 일이다. 이 일은 내 일의 내일이기 때문이다.

인생의 생로병사는 정해진 길이다. 태어나는 순간부터 늙고 병들고 죽음으로 다가가고 있다. 퇴직 후에도 적극적으로 활동하고 수명이 연장되는 웰빙(Well Being)의 삶을 사는 것이다. 또한 건강하게 늙어 가는 웰에이징(Well Aging)의 삶이다. 이제는 후반전 인생 삶을 마감하는 웰다잉(Well Dying)의 삶을 준비하며 생각하는 단계이다.

퇴직한 오늘은 후반전 인생 시작하는 첫 발령이 난 거다. 전반전 무사히 뿌듯하게 마쳤다면 스스로 축하할 일이다. 지금부터가 후반전 인생 출발이다. 은퇴했지만 은퇴가 아니다. 직장에서 퇴직한 거지 인생에서 퇴직한 게 아니다. 본격적인 인생의 성패는 정해지지 않았다. 지금부터의 삶은 새로운 후반전의 시작이다. 내 뜻대로 내가 사는 삶이다.

새롭고 즐겁고 의미 있는 도전을 살펴본다. 은퇴 후 삶의 대부분 국내·외 여행이다. 시간의 자유와 경제적 여유다. 약간의 퇴직금, 연금이 있으니 하지 못한 여행을 떠난다. 아름답고 멋진 일이다. 그동안 수고에 대한 보상으로 맘껏 즐긴다. 미술관, 박물관 전시회에 참석하는 삶의 여유를 느끼는 순간이다. 이 또한 다 지나가리다. 은퇴 후 새로운 삶을 시작한다. 정년퇴직했지만 일을 계속해야만 하는 처지가 되는 시대다.

퇴직 후 제2의 인생을 사는 다양한 예이다.

학교 지킴이, 다시 기간제 교사 되어 가르치기, 나는 자연인 귀농 귀촌하기, 특기로 강의하러 다니기, 미술 작가의 삶, 지역 봉사 활동하는 삶 등이다. 지방자치단체의 구청이나 동사무소에서 봉사하기, 평생교육기관에서 전공 관련 강의하기, 유·초·중·고에서 진로 특강을 하기 등 다양하다. 자격증 취득이나 어학 공부도 한다. 또한 창업, 유튜버, 작가 활동 등 매우 다양하다.

공무원이라면 연금공단 접속하여, 퇴직공무원 인력 은행에서 노후 준비 내용을 참고하기 바란다.

퇴직공무원 인력뱅크
G-시니어
마이페이지
로그아웃
퇴직공무원 인력뱅크
일자리
사회공헌
상록자원봉사단
평생교육
공지사항
인사말
소개
일자리 찾기
잡(Job)수다
- 중장년 취업정보
- 일자리박람회 및 채용행사
- 재취업 성공사례
Know-how+
전직지원컨설팅
사회공헌
- 사회공헌
- 환경봉사
기부참여
- 기부신청
- 기부소식
수요기관 메뉴
- 수요기관담당자등록
상록자원봉사단
- 봉사단 소개
- 봉사단 커뮤니티
봉사활동 후기
자유게시판
연금아카데미
사이버아카데미
생애설계 자가진단
공지사항
봉사활동 소식
- 시니어기자단 기사
- 뉴스레터
- 우수사례집
자료실

1)

1) 공무원 연금공단 https://www.geps.or.kr

황금빛 내 인생

퇴직 후 삶은 매우 다양했다. 대부분 남녀의 차이는 확실하다. 남자는 대부분 배움을 통한 자격증 어학 공부, 도서관, 체육관, 재취업, 대학 강의, 창업, 귀농이나 귀촌, 아르바이트, 여행, 소일거리나 취미생활, 운동, 만남을 통해 지내는 비율이 높았다. 여성분들은 만남과 이야기가 쉽지 않기에 간단한 면담이나 전화, 건너 들은 이야기다. 새롭고 즐겁고 의미 있는 도전을 살펴본다.

은퇴 후 삶의 대부분 공통적인 부분이다. 친구들과 직장동료들과 가까운 지역에서 해외까지 여행하는 경우가 많았다. 은퇴 후의 새로운 삶을 향하여 '나는 자연인이다.' 하며 귀농이나 귀촌하며 유유자적 삶을 사는 분도 있다. 다시 기간제 교사 되어 가르치기를 하시거나 봉사활동 하러 다니시는 분도 많았다. 그동안의 일과는 전혀 다른 음식점, 카페 창업을 하거나 태양광 사업을 시작하는 분도 계신다. 모든 분의 일을 다 수록하지 못하기에 몇 분들의 근황을 인터뷰한 내용이다.

학교 안전은 내가 지킨다

학교 안전지킴이는 배움터 지킴이라고도 한다.

학생·교직원 보호 및 학교 외부인 출입 관리 강화를 위해 배치되는 인력이다. 교통사고 위험, 학교폭력 등 학교 주변의 각종 유해 환경으로부터 학생을 보호하고 안전한 등하교 환경을 조성하기 위해 만들어졌다. 정년퇴직하고 학교 안전지킴이를 하고 계신 선배 교사의 인터뷰다.

퇴직 후 1년간 여행 다니고 집에서 지내다가 무료하여 학교 안전지킴이를 신청해서 하고 있다고 전했다. 매일 오전 07:30부터 오후 16:00까지 학생 보호를 위하여 봉사하는 것이 즐겁다고 말했다. 좋은 점은 규칙적인 생활과 무료한 일상의 달램, 아침 일찍 출근하고 오후 일찍 퇴근하면 자유시간을 즐긴다고 한다. 다만 정문에서 교통안전 봉사를 하고 있으면 학생들이 다르게 보인다고 했다.

근무 중 특별하게 하는 건 없고, 주변 순찰을 하면서 학생들을 보호하기도 하고 학교 방문에 대한 기록 및 하교 지도하면 끝이라고 이야기했다. 택배나 드나드는 사람들에 대한 기록 등이 업무이고, 점심 식사는 도시락을 가져와서 식사나

커피는 정수를 통해 해결한다고 알려줬다. 이 일은 큰 보수를 받는 건 아니지만 즐겁게 봉사하는 마음으로 생활한다고 전했다. 퇴직 이후의 일이란 장단점이 있다. 근무하는 시간과 비교해 단점으로는 적은 보수와 얽매이는 공간이다. 좁은 공간에서 하루를 근무하는 게 "답답하다"라고 한다. 일부 학생들과 교사들은 경비 취급을 한다고 "섭섭하다"라고 했다. 학부모나 일반인이나 출입하시는 분들 마찬가지라고 한다. 이를 "극복하게는 게 가장 중요하다."라고 했다.

가볍게 인사하며 반기고 소통하며, "마음을 비우라"라고 한다. 경비초소 공간에서는 음악 감상하거나 라디오 청취를 가장 많이 한다고 전했다. 잠시 화장실 다녀올 때면 걱정이 많다고 한다. 혹시 몰래 누가 무단으로 들어올까 봐 걱정이며, '출입자 통제 관리를 해야 하는 일이 주 업무'가 된다고 했다.

퇴직 후 수업과 업무에서 벗어나 마음 편하게 지냈다고 한다. 또한 잠시라도 학교안전지킴이 활동은 나름 뿌듯했다고 전했다.

내 능력을 발휘하는 일

학교의 교사 중에는 정규교사가 1개월 이상 휴직을 해야 할 사유가 발생한다. 이를 대신하기 위해서 기간제교사가 채용되는 경우가 많다. 기간제 교사는 계약직 공무원이다. 학교에서 정한 근무 시간을 지켜야 하며 기타 연수 등도 정규교사와 동등하게 받아야 한다.

따라서 시간 강사보다는 대우가 좋으며, 다른 계열의 비정규직 비교해 보더라도 상당히 나은 대우를 받는다.

퇴직 후 기간제 교사는 수업엔 자신감이 꽉 찼는데, 학생들이나 다른 교사들의 시선도 걱정이란다. 고경력자이므로 모든 분야에 솔선수범해야 하는 게 신규교사란다. 퇴직했으면 편안하게 먹고살지 왜 기간제 할까? 누가 뭐라 하는 것 같은 느낌이라고 전했다.

가르치는 일은 “보람과 만족을 느낀다”라고 했다. 퇴직한 기분이 안 들고 그냥 잠시 학교 옮긴 느낌이란다. 단점은 보수가 갑자기 줄어들고, 일거리가 많아진다. 기간제라 일정 기간만 근무한다고 생각되니, 내년에 어떻게 될지 걱정이란다.

기간제교사생활은 퇴직한 것을 잊게 하는 행복한 일이다. 평생 가르치는 일을 해왔기에 어려움이 없다. 요즘엔 기간제 교사 구하기도 어려운 학교 실정이다. 나이 경력 불문하고 임용되는 일도 있다. 따라서 퇴직 이후에도 가능하다면 적극적인 참여를 바란다. 일부이지만 몇 달 하고 마치면, 또 다른 학교에서 기간제 교사 되어 가르치는 일이 반복이다.

유·초·중·고등학교에는 시간제 교사, 학생 돌봄 교사, 방과후 학교, 교사의 경험이 요구되는 곳이 많아. 가르치는 일에는 항상 신바람 나길 기대한다.

은빛 청춘 지금 시작이다

노후에 삶의 기쁨을 누리는 방법은 다양하다. 일터에서 은퇴하면 삶이 끝나는 것은 아니라, 인생 후반전의 시작이다. 고령화 시대 고령자들이 직업을 갖기를 희망하는 경우가 많다. 하고 싶은 분야의 지식과 자격은, 나이 먹고 세상에 공헌하며 평생 할 수 있다. 전문직업은 노후에도 안정적이다.

퇴직할 시점엔 능력도, 체력도 떨어지는 게 정상이다. 다만 내가 필요한 사람이 되면 다행이고, 없다면 외롭고 쓸쓸한 게 당연하다.

소크라테스는 “너 자신을 알라”라고 했다. 나 자신의 속마음과 상관없이 따뜻함을 느낄 수 있는 따뜻한 인간관계가 상책이다. 가정에서는 부모는 자녀의 거울이다. 가족 간의 관계는 더욱 의미가 크다. 퇴직 예정자 연수를 다녀오고 느끼는 한 가지는 분명하다. 정해진 나이에 어쩔 수 없이 퇴직하는구나!

누구나 마음으로는 은퇴를 대비한다는 생각을 많이 했을 것이다. 머리로 생각하던 은퇴는 아직 남아 있다는 것이다. 2년이나 남았다. “늦었다고 생각할 때가 가장 빠른 때이다.”

어떻게 살아야 행복할까?
퇴직 후 의미 있는 삶이란?

지금 정신적인 능력은 괜찮은데 육체적 한계를 분명히 느끼기 시작한다. “건강은 건강할 때 지켜야 한다”라고 했다. 평소에 운동해서 튼튼하게 유지했다면 다행인데 지금부터 시작이다.

퇴직자들의 상황을 듣게 된다. 퇴직 후에 시간은 많아지는데 “갈 곳이 없다”라고 한다. 아침에 일어나서 “갈 곳이 없다.”, “만날 사람이 없다.”, 할 일이 없다“라고 한다. 은퇴 후의 삶은 개인별로 상당한 차이가 있다. 누구는 기간제 교사를 하고 있고, 창업하여 카페를 운영하는 분도 계신다. 대학에서 강의하시는 분도 있고 제주에서 창업하여 음식점 하는 분도 있다. 자격증을 취득하여 새로운 일을 다시 시작하는 분도 있고 매우 다양하다.

퇴직 후 어떻게 살아야 할까?
봉사활동을 필요로 하는 곳은 많다. 지방자치단체나 구청이나 복지관, 지역에 많다. 자원봉사는 자긍심과 보람과 기쁨을 얻는다. 자아실현의 삶으로 세상에 이바지하는 은빛 청춘이 시작된다.

매슬로우 욕구 이론에 의하면. 생리적 욕구, 안전의 욕구, 애정과 소속의 욕구, 존중의 욕구, 자아실현의 욕구가 있다. 자아실현이란, 개인의 무의식 속에서 열망하는 근본적인 욕구를 실현하는 것이다. 쉽게 말해 자신이 꿈꿔 왔던 가장 이상적인 모습으로 살아가는 '성장 욕구'다.

제2의 삶을 준비한다.

인생은 준비하는 것이다. 퇴직은 새로운 삶의 시작이다. 인생 2막의 출발이다. 우리 모두 불확실한 시대를 살고 있다. 은퇴자는 준비할 여유도 없이 퇴직하니 걱정이다. 퇴직 후 무엇을 할까. 사회활동, 자아실현…. 이도 건강해야 가능한 일이다. 만약 건강하다면 70~80세까지는 사회활동 할 것으로 예상한다. 퇴직하면 중요한 게 돈과 건강, 여가시간 3가지를 강조한다.

경제적인 문제는 생활 수준을 낮추어서 살면 된다지만, 쉬운 일은 아니다. 누구나 건강하고 행복한 생활을 원한다. 은퇴를 눈앞에 둔 사람은 불안하게 마련이다. 과연 준비된 사람들이 얼마나 될까. 퇴직 후에 어떤 삶을 살아가게 될 것인가에 대하여 많이 고민한다. 은퇴 후 꿈과 목표가 있다면 바랄 게 없다. 꿈꿔 왔던 삶을 살아가길 바란다.

우스갯소리로 백수가 과로사할 정도라 해서 하버드 대학 다닌다고 한다. 종일 바쁘게 드나든다는 약자이다. 그러다가 4~5년 지나면, 종일 마누라 옆에 있다가 마누라와 다툼이 잦다 하여 하와이(하루 종일 아내 옆에 있으니 귀찮아서 마누라가 이를 간다) 대학 다닌다고 한다. 그러다가 동경대학 다니고, 그다음에는 방콕대학 다니다가 죽음에 이른다는 아재 개그이다. 동경대학교는 동네 경로당에 간다는 말이고, 방콕대학교는 방에 콕 처박혀 있다는 말이다.

원더풀 인생 후반전을 행복하게 사는 작은 습관 일곱 가지를 제시했다. 인생 후반전에는 생활 습관의 중요성이다.

원더풀 인생 후반전 TV 행복하게 사는 작은 습관 7가지이다.[2]
1. 일찍 자고 일찍 일어나라. 2. 호기심을 가져라. 3. 존중하는 마음을 가져라. 4. 용서하라 5. 건강을 잘 챙기자. 6. 자기 자신을 믿어라. 7. 잠을 충분히 자라.

2) 원더풀 인생 후반전 TV - 행복하게 사는 작은 습관 일곱 가지
https://www.youtube.com/watch?v=AsrFmaKs-kY&list=PL9Dqlkt5LD3hLaRE7cFB2Axy0O1dzGRrV&index=4&ab_channel=%EC%9B%90%EB%8D%94%ED%92%80%EC%9D%B8%EC%83%9D%ED%9B%84%EB%B0%98%EC%A0%84

세상에 기여하는 삶이다

직업은 생계를 유지하기 위하여 자신의 적성과 능력에 따라 일정한 기간 계속하여 종사하는 일을 말한다. 소득 활동으로 생계를 유지하며 일정 기간 계속하여 종사한다. 직업인은 열심히 최선을 다하며 지낸다.

직업(Job)은 직업(職業)이다. 직(職)을 중시하는 삶도 있으며, 업(業)을 중시하는 사람도 있다. 직을 중요하게 여기는 사람은 법대로 하게 되며, 업을 중요시 하는 사람은 뜻대로 한다.

토머스 칼라일은 “자신의 일을 발견한 사람은 행복한 사람이다. 그에게는 인생의 목적이 있다.”라고 했다. 직장에서 내가 하는 일이 즐겁고 기쁘다면 삶은 행복이 된다. 교사라는 직업이 이렇다. 가르치는 일이 의무라고 생각하면 괴롭고 힘든 일이요, 사명이라 생각하면 어떻게 될까. 즐겁고 가치가 있다고 생각하면 기쁜 일이 보람찬 일이요 만족하는 일 아니겠는가.

내가 나를 잘 알기 위해서는 적성과 흥미가 중요하다. 내가 좋아하는 일을 잘하면서 인생을 산다는 것이 정답이라고 말하고 싶다. 좋은 일은 내가 원하고 잘하는 것이 금상첨화이다.

누구나 직장에서 정년을 맞이한다. 정년에 관하여 강창희 강사는 유튜브 강의에서 한 말이다.

강창희 노후설계 강의 중 "정년의 종류"
"인생에 정년은 고용 정년, 일의 정년, 인생 정년이 있다.". 또한 "노후의 3대 불안은 돈, 건강, 외로움"이다. 3)

가장 확실한 노후 준비는 무엇일까?

나이 들고 퇴직하면 노후가 걱정이다. 미리미리 철저한 준비를 해야 한다고 강조했다. 현명한 노후 준비는 현역 시절부터 생활 습관을 바르게 하고 돈에 대해 절약하는 삶이 기본이라고 강조한다. 교사 출신의 60세 할아버지 할머니는

3) 강창희 유튜브 강의
https://www.youtube.com/watch?v=WlRJNG7SDqE

과연 무엇을 할 수 있을까?. 은퇴 후 삶이 불안으로 다가온다. 걱정하지 말고 긴 시간이 남아 있다.

더 넓은 세상을 내 세상으로 만드는 일을 찾아본다.

자신의 가치를 인식하자. 남과 비교하지 말고 내 세상에서 세상으로 나아가는 일이다. 내가 가장 잘하는 것 좋아하는 것 잘하는 것 내가 하기에 쉬운 것 여행, 취미 특기 흥미 있는 일. 덕후의 삶이다. 덕후는 푹 빠지는 일이다. 덕후는 자기 일에서 행복을 찾아 즐긴다. 덕후의 세계엔 직위도 나이도 없다. 배움을 시도하고, 세상으로 나아가는 길이다.

책을 쓰면 참된 자신의 가치 발견하고 내면의 탐색하는 일이다. 자신의 가치를 세상에 이바지하는 일이다. 용기를 내 쓰는 일이다. 다른 사람 신경을 쓸 일 없다. 내 세상이다. 나는 나고 너는 너다. 산은 산이요 물은 물이로다. 남과 비교하지 말고 온리원(Only One)이다. 최선을 다하는 길이다. 한계와 가능성을 인정한다. 하다 안되면 안되는 이유를 분석하고 다시 한다. 누구나 한계가 있다.

두려워 말고 내 맘대로 사는 거다.

퇴직은 내 세상이다.

조관일 창의 경영연구소 대표는 인생은 60부터? 노후 준비를 위한 재테크[생각을 바꾸는 시간 15회]에서 재테크 3가지를 말했다.[4]

첫째, 재(財)테크는 재산 경제적 안정이다.

재테크의 사전적 의미다 "재테크는 재무 테크놀로지의 준말이다. 한자 '재무(財務)'와 영어 '(technology)'의 합성어다. 재테크(財테크, investment)는 기업 또는 개인이 금융이익을 얻기 위해 자산을 투자하여 벌이는 재무 활동이다. 기업 또는 개인의 자금 조달 및 운용이 목적이다."[5]

일반적으로 재테크는 돈을 벌고 절약하며, 저축하는 일이 우선이다. 돈을 모으고 일부 종잣돈으로 투자하는 게 일반적인 재테크의 유형이다. 이를 무한반복 하는 게 재테크의 비법이라고 알려져 있다. 다만 돈 버는 방법에는 정답은 없다.

노후 준비 돈은 매우 중요하다. 노후의 행복과 불행을 결정하는 원천이다. 연금, 보험, 부동산, 주식, 저축, 투자에 신중하게 살펴보고 다시 확인한다.

---

4) 인생은 60부터? 노후 준비를 위한 3가지 재테크
https://www.youtube.com/watch?v=AhgYnS-0BNM&ab_channel=%ED%95%9C%EA%B5%AD%EC%8B%9C%EB%8B%88%EC%96%B4TV

5) 위키백과 재테크
https://ko.wikipedia.org/wiki/재테크

한 번뿐인 인생에서 “욜로 가려다가 골로 간다”라는 말이다. 욜로(YOLO)란? You Only Live Once의 약자로, “인생은 오직 한 번뿐”이라는 의미가 있다. 인생에서 돈은 중요하다. 절약하면서 돈을 모으고 재테크 공부를 하고 투자하는 것이다. 미래를 위해 내 삶의 만족도도 올라가며 훨씬 더 활기찬 삶을 살 수 있게 된다.

인생 2막은 바로 현실이므로 현재를 잘 사는 것이 중요하다는 생각이다. 할 수 있는 게 무엇이 있을까. 퇴직 준비는 미리미리 준비해야 은퇴 이후 걱정이 없게 된다. 한다. 젊은 시절 은퇴 교육은 중요하다. 재직시절엔 60대, 70대, 80대를 생각해야 하는 시간이다.

둘째, 재(才)테크 방법이다.

강의, 세미나. 음악회, 미술관 견학 등에 적극적으로 참여하면서 안목을 높이고 견문을 넓힌다. 소독과 취미나 특기, 흥미 있는 일이 중요하다. 아마추어에서 프로의 경지에 다다르게 한다. 평생 글쓰기, 책 쓰기, 독서 방법이다. 평생 할 수 있는 자신 있는 일 일단 시작하라. 나를 개발하는 재(才)테크는 부가가치가 가장 높은 재(財)테크다.

목공으로 목각 인형 만들기, 글쓰기, 약초 재배, 그림 그리기, 악기 다루기…. 글 쓰는 일은 하고 싶은 글 그냥 쓰는 거다. 바로 이게 덕질의 맛이다.

직장생활이 따분하고 무료하면 취미생활을 한다. 유튜브도 좋다, 특별한 취미나 흥미 없다면, 무엇을 할지 연구해 보는 거다. 노후생활의 기대 수준을 확 낮추고 꼭 필요한 것만 지출하는 절약의 미덕이 필요하다,

조관일 한국 시니어 TV 강연에서 매력 있는 노인 5가지를 제시했다.[6] 재(在)테크 품격 있는 노인의 자세에 대해 말했다.

일, 일부러라도 자주 웃을 것
이, 이러쿵저러쿵 따지지 말 것
삼, 삼가라~ 품격을 잃는 짓을 하지 말자
사, 사랑하자~ 일과 가족 사랑 모든 것을
오, 오늘을 만끽하자

재테크 중에 또 하나 추가한다. 지(知)테크이다.

평생 학습 시대이다. 독서, 강의 듣기, 공부하는 것은 평생 하는 일이다. 이제는 배워서 남 주는 게 아니라, 내가 나를 채우는 시간이다.

---

6) 조관일 한국 시니어 TV 강연
https://www.youtube.com/watch?v=AhgYnS-0BNM&ab_channel=%ED%95%9C%EA%B5%AD%EC%8B%9C%EB%8B%88%EC%96%B4TV

따뜻한 꼰대

우리나라는 꼰대라는 말이 유행이다. “나이 많은 사람”을 가리켜 쓰던 은어였으나, 최근에는 구태의연한 사고방식을 강요하거나 말하는 직장 상사나 나이 많은 사람을 가리키는 말로 변형된 속어이다. 선배 세대가 좋은 아이디어나 경험을 제공하고자 하는데 젊은 세대는 스스로 터득하고자 한다. 경험은 인생의 스승이라는데, 고경력자의 조언을 잔소리라고 생각하면 그만이다.

최근엔 ‘꼰대’의 의미가 매우 다양하다. 예컨대, 자기주장만 고집하는 사람, 묻지도 않았는데 남을 가르치려는 사람, 오지랖이 넓은 사람, 대접을 받으려고만 하는 사람, 자기중심성이 강한 사람, 타인의 입장을 배려하지 않는 사람, 권위주의에 사로잡힌 사람, 시대의 흐름을 모르는 사람 등을 지칭한다.

교사는 대부분 꼰대소리를 듣는다. 왜냐하면 가르치는 직업이기 때문이다. 학생들에게 사사건건 잔소리하는 대한민국 교사는 꼰대가 된다. 모임에서도 누가 선생 아니랄까 봐 가르친다는 소리를 많이 듣는다.

꼰대의 특징이다.

꼰대의 가장 명확한 특징. 능력, 인품, 신분 등을 모두 배제한 채로 오직 짬밥만으로 서열을 정해서 자신보다 나이가 어리거나 경력이 적거나 신입인(해당 조직에 자신보다 늦게 합류한 동료) 사람을 동등한 인격체가 아닌 자신의 노예로 대하고 마구잡이로 부려 먹는다. 이런 사람은 설령 자신보다 나이, 경력이 많아도 속으로 비웃거나 이죽거리기도 하며 상관이 만만해 보이면 반말하거나 대놓고 신경질을 내는 등 무례하게 굴기도 한다.[7]

듣기 싫다고 말한다는 이유로 상대를 쉽게 꼰대라고 몰아붙인다면, 과연 누가 꼰대인 걸까?

정서적 교감이 평소에 형성되어 있다면 멘토의 자격으로 이야기하면 된다. 인생은 누군가의 선배이고 후배이다. 살면서 모든 걸 경험하지 못한다. 간접경험의 제공자인 멘토도, 꼰대도 될 수 있다. 부부 사이에선 주로 남편이 꼰대가 되는 경우가 대부분이다. 꼰대를 벗어서는 방법은 상호 간 존중하는 게 지름길이다.

---

7) 나무위키 꼰대 특징
https://namu.wiki/w/꼰대 특징

최근 SNS상에서 “꼰대 육하원칙”이 널리 퍼져있다.

Who, When, Where, What, How, Why이다. 작성된 글을 보면 모두 일리가 있는 표현이다.

WHO	내가 누군지 알아?
WHEN	나 때는 말이야!
WHERE	어딜 감히~
WHAT	뭘 안다고~
HOW	어떻게 나한테~
WHY	내가 그걸 왜?

이른바 꼰대 육하원칙이다.

꼰대라는 말은 “당신은 이런 사람을 알고 있습니까?”라는 제목으로 전 세계서 쟁점이 되는 오늘의 단어를 선정하여 영국 공영방송 BBC TWO에도 소개됐다.

지금까지 학교에서 열심히 살았다. 자신과 가족, 국가를 위해 미래인재를 양성했다. 지금부터는 자아실현의 삶이다. 이제는 아름답게 사는 방법을 찾아야 할 시간이다.

퇴직 후 아름다운 일이 있을까?

평생 공부하는 시대이다. 지금부터 공부해야 한다. 긴 인생을 어떻게 마무리할까를 생각하는 시기이다. 공부를 다시 시작할 때이다. “무슨 공부?” 나를 찾는 공부 해야 한다. 노후에 관한 공부를 할 때이다. 지금부터 공부가 진짜 공부다. 인생 공부이다. 노후를 위한 공부이다. 무슨 공부가 좋을까? 라고 할 것이다. 뻔뻔하게 사는 일이 남아 있다.

인생의 방향도, 정답도 모두 다르다. 퇴직 후 대부분 “나잇값 못한다는 소리 들을까 봐 걱정이 많다. 나이 먹음을 부정하는 것은 남에게 보여주는 삶이다. 남의 눈 때문에 어려운 일이다. 까짓 나이가 무슨 대수라고 지내며 허드렛일, 하고 싶은 일, 하기 싫은 일 무엇을 할까 고민을 하게 된다.

지금 가장 확실한 노후 준비는 무엇일까?

먹고 살 걱정이 없는 이가 얼마나 될까?

100세 시대 노인은 Know 인(人)이다. 노인은 살면서 온갖 경험을 한 지식인이요 지혜를 담고 있는 도서관이다. 노인이 하는 말은 어른의 말이다. 단지 옳으냐 그르냐는 시대에 따라 적절하게 변한다는 사실을 알면 다행이다. 내 남은 인생을 생각하면 긴 인생이다. “인생은 짧고 예술은 길다”라고 한다. 이 말은 이제 바꿔야 한다. “인생은 길고 예술은 더 길다.”라는 말을 실감하는 시대다.

대부분 공무원이나 교사, 군인, 경찰이 퇴직하면 연금이 나온다. 연금이 충분하지 않지만, 일반 국민연금에 비하면 그럭저럭 살기엔 족하다. 그렇다고 이 정도를 가지고 놀고먹는 삶이 되어야 하겠는가? 아침에 일어나서 오늘은 뭐할까, 생각한다. 퇴직하고 하는 일이 취미활동, 봉사활동이 제격이다. 약간의 보상이 주어지는 일이라도 있다면 금상첨화이다. 퇴직 후 무엇이든 배우고자 하는 마음이 더 커져야 한다.

퇴직 후 아름다운 노후는 지금부터이다. 체면이 밥을 먹여주지 않는다. 체면을 버리는 일이 지금부터 시작이다. 이제 Impossible이라는 단어는 I'm possible이다.

퇴직은 위기인가 기회인가?

퇴직 또는 은퇴를 영어로 리타이어(Re Tire), 타이어를 새로 갈아 끼우는 것이라 표현한다. 퇴직은 시작이다. 내 남은 인생 첫날이다. 누구나 퇴직한다. 은퇴 후의 삶을 좀 더 구체적으로 어떻게 살아야 하는가? 무엇을 할까? 위기일까? 기회일까?

삶의 변화는 지금부터 시작된다. 현대회사를 세운 정주영 회장의 명언이다. "해보기는 했어." 도전적인 정신과 실천력이요 창의적인 행동을 강조한다. 위기는 엄두가 나지 않을 것이다. 기회는 오늘이 첫날이다. 은퇴 이후 나의 사명을 찾는 게 제일이다. 할 수 있는 것, 하고 싶은 것을 하는 시기다.

『적극적 사고방식』의 저자 노먼 V. 필은 "어제는 어젯밤에 끝났다. 오늘은 새로운 시작이다. 과거를 잊는 기술을 배워라. 오직 앞으로 나아가라"라고 했다. 새로운 지식이나 정보에 적응하며 사는 삶이다. 하고자 하는 노력과 도전정신의 삶이다. 자아실현을 하는 사람은 진정한 자기 자신이 된다.

퇴직 후 연금 받는 삶

은퇴 시기가 오기 전 무엇을 어떻게 준비하면 좋을까?

극작가 조지 버나드 쇼는 "우물쭈물하다 보니 결국 이렇게 되고 말았다"라고 했다. 누구나 나이 먹고 은퇴 후에도 보람 있는 삶을 살아야 한다. 은퇴 후의 멋진 삶은 어떤 삶인가?

나이를 먹으면 먹을수록 일 년이 후딱 지나가 버린다는 느낌이다. 오늘 하루하루 어떻게 사느냐가 중요하다. 노년에도 크고 작은 새로운 목표를 만들어서 의욕을 가지고 그 일을 해 나가야 한다.

시대는 변하고 있다. 속도보다 더 중요한 것은 방향이다. 현역에 있을 때 은퇴 후를 내다보고 목표를 향해 바른길을 걸어가야 한다. 이제는 스스로 살아남는 시대이다. 내가 무엇이 되느냐보다 앞으로 어떻게 사느냐가 중요하다.

은퇴 후 여유로운 삶 계획하기가 중요하다. 지금, 이 순간 아프지 않은 게 감사한 일이다. 더욱 건강하게 잘 지내는 거다. "은퇴하기는 쉽지만, 은퇴 준비는 쉽지 않다." 10년 단위 계획이 필요하다. 누구나 은퇴는 다가온다. 예외가 없다. 모두 마찬가지이다. 준비 단단하게 해야 한다.

제2의 삶이 시작이다.

지난 삶이 오르막길이라면, 이젠 내리막길이다. 내리막길은 연금으로 살게 된다. 연금으로 어느 정도 여유를 찾을 수 있을 것 같은데 문제는 만만치 않은 세금입니다. 건강보험료 및 주택 소유자에게 부과되는 각종 세금이 부담된다. 요즘은 이를 해결하고자 정년퇴직 이후에도 계속 일을 하면서 연금을 받는 어르신이 많다. 소득이 있다고 무조건 연금이 줄어드는 것은 아니므로 너무 걱정할 필요는 없다.

돈과 행복의 상관관계는 무엇일까?

돈이 행복의 전부는 아니더라도, 아마 돈 없이 행복하기는 어려울 것입니다. 퇴임 후 유의미한 삶을 위한 인생 2막 삶에 대한 준비 및 미래 설계하기다.

퇴직 이후의 생활 설계는 공무원연금 및 건강보험, 재무관리 하며 자산을 관리하는 것이다. 은퇴한 사람들의 공통적인 이야기가 있다. 제일 중요한 게 건강이라고 한다. 건강해야 생활비가 적게 들고, 몸이 아프면 병원비가 만만치 않다고 한다. 미리 보험 들었다면 실비 보상으로 다행이지만, 그래도 몸 건강한 게 제일이다.

『건강이 제일이다.』 노래 가사이다.

작곡 강정숙 작사 한동한
건강이 최고야 (최고) 건강이 최고야 (최고) 건강은 최고의 재산입니다. 건강은 황금보다 더 귀한 재산입니다. 소중히 잘 지켜요. 도둑맞지 말고서 건강이 제일 건강이 재산 건강이 최고입니다. 누구도 내 건강을 책임질 수 없어요. 건강 건강이 최고야 건강이 최고 누구도 내 건강을 책임질 수 없어요. 건강 건강이 최고야 건강이 최고 건강 건강이 최고야 건강이 최고

건강이 최고다. 건강은 건강할 때 지킨다.

'건강은 건강할 때 지킨다'지만 내 맘대로 되는 거라면 바랄 게 없다.

나이는 숫자에 불과하다.

어떤 노인이 될 것인가?

누구나 나이 먹고 늙는다. 나이는 숫자에 불과하다고 한다. 나이 먹으면 노인이 되는 걸 막을 수 없다. 다만 멋지게 나이 드는 것을 생각할 수는 있다.

퇴직과 노인은 비례하는 건 아니지만 노인 취급 받을 수 있다. 품위 있는 노인이 되는 길이 있을까?

아리스토텔레스는 "내가 성장하고 탁월해지고 발전할 때 행복해진다"라고 했다. 성장하려면 배워야 한다. 퇴직 이후의 삶은 더더욱 성장하는 삶이다. 배우고 익히며 세상을 위해 실천하는 삶이다. 평생 학습 시대이다. 롱런(LongRun)이 필요하다. 롱런(LongRun)하려면 롱런(Long Learn)해야 한다. 배워야 산다. 사람마다 능력이 달라서 삶의 목적이 다르다. 가치관은 다를지라도 같은 사람이다. 인생 후반전의 나이에 롱런(LongRun)하려면 롱런(Long Learn)해야 한다.

[국민 내일배움카드] 활용한다. 나이 한 살 더 먹는다는 건 더 성장하는 거다. 성장하려면 배우는 거다. 작은 일상에서도 배움의 기회는 늘 존재한다.

성장의 기쁨이 무엇인가?

혼자 즐길 수 있고 혼자 해결할 수 있는 일이 있을까?

소일거리를 찾아야 한다. 성숙한 퇴직자의 삶, 성숙한 내 모습, 할 수 있는 그것보다는 할 수 없는 게 많아지는 시기다. 어제는 지나고, 오늘은 지금이니, 내일 걱정은 하지 말자. 할 수 없는 일 과감하게 관두는 일이다. 새롭게 배워 할 수 있는 일 즐겁고 에너지 넘치는 일을 찾아야 한다. 운동, 댄스, 노래, 글쓰기, 그림 그리기 활동이 좋다. 마음은 청춘이요 몸은 노인이다. 함부로 활동적인 일을 하면 다치기 십상이다. 멋지게 나이 먹는 일 지금 시작이다. 나이를 먹으면 기억하고 추억할 게 많다. 내 경험은 내 인생 박물관이다.

유대 격언에 있는 노인의 명언이다. "늙은 사람은 자기가 두 번 다시 젊어질 수 없다는 것을 알고 있지만, 젊은이는 자기가 나이를 먹는다는 것을 잊고 있다."라고 한다. 노인의 삶은 대부분 힘든 삶이다. 정신적으로 육체적으로 힘들다. 그렇지만 즐겁고 행복하게 사는 게 보람과 만족이요, 성찰하고 통찰하는 삶이다. 노년은 활동하기 어렵다 몸이 허약하다 나이가 들고 지혜가 자랄수록 정신적인 삶을 최고로 여기는 법이다. 퇴직은 신체적으로 건강한 삶이 기본이다. 질병은 삶을 살아가는 데 불안과 걱정을 안게 된다. 특히 퇴직 후 특별히 하는 일이 없으면 더욱 고독하다.

인생에서 진짜 중요한 게 무엇일까?

퇴직 이후 100세 시대 긴 시간을 무엇을 하며 지낼까?

100세 시대 웰빙을 추구하면서 웰다잉을 생각하는 때다. 웰빙(Well Being)을 넓게 정의하면, 행복, 삶의 만족, 질병 없는 상태를 모두 포괄한다. 소비생활에 한정한 웰빙(Well Being)은 유기농 제품을 먹고, 온천을 하며 명상을 즐기거나 요가 하는 것 등으로 소비를 의미한다. 어느 순간 매우 중요했던 것이 나이를 먹으면 하나도 중요하지 않음을 알게 된다. 즐겁게 사는 게 행복이요, 사이좋게 지내는 게 행복이며. 내 역량을 다 세상에 이바지하는 게 진짜 행복한 삶인가 보다. 웰다잉(Well Dying)은 웰리빙(Well Living)이다. 웰다잉은 생(生)과 사(死)를 다루는 인생의 인문학으로서 살아온 날을 아름답게 정리하는, 평안한 삶의 마무리를 일컫는 말이다. 고령화와 가족 해체 등 여러 사회적 요인과 맞물려 등장한 현상이다. 삶에서 이런 걸 깨닫는 게 노인(Know인) 되는 지름길이다.

철학자 스피노자는 "내일 지구의 종말이 와도 나는 한 그루의 나무를 심겠다"라고 했다. 은퇴 후 긴 여유 시간 세상을 위하는 일이다. 퇴직 후 나이를 먹으니 노인도 아니고 청년도 아니다. 건강한데 할 일이 없다. 여가 생활하기엔 긴 시간이다. 남은 인생 소중하고 가치 있는 일을 하는 삶이다.

강창희 미래연구소 대표의 『노후 대비 인터넷 강의』에서 출제된 유머 퀴즈이다.

퇴직 후 가장 좋은 남편은?

요리를 잘하는 남편, 청소를 잘하는 남편, 빨래를 잘하는 남편…. 아니다. 가장 좋은 남편은 집에 없는 남편이란다.

집 밖으로 나가서 세상을 위한 일을 찾아서 하는 거다. 즐겁고 신나는 일을 찾아서 즐기는 삶이다. 이젠 내가 하고자 하는 방향이 옳은 거라면 거칠 게 없다. 사회 공헌 활동을 하면 보람과 만족을 얻는다. 고령화 사회에 소신껏 일하는 삶이야말로 자아실현 하는 삶이다. 성숙한 인간은 안녕 지수가 높은 웰다잉을 생각하는 삶이다. 홍익인간의 삶이 시작이다. 행복한 삶을 살아가는 황금빛 인생이길 소망한다.

내 나이가 어때서

100세 시대에 노후 삶의 질을 결정짓는 중요한 요소 중 하나는 '건강'이다. 나이는 중요하지 않다. 무엇이든 할 수 있는 내가 중요하다. 나이는 건강과 반비례한다. 젊은 시절의 건강관리가 100세까지의 건강한 삶의 질을 결정한다고 해도 과언이 아니다. 건강은 장담하지 못한다. 9988이다. 99세까지 팔팔하게 산다는 숫자이다. 누구나 다 9988은 착각이다. 은퇴 이후 노후 준비되었다면 다행이다. 인생 100세 시대에 남은 인생이 40년이다.

인터넷에 떠도는 기대 수명을 자동 계산해주는 사이트이다. 검색어 [기대수명 계산기]이다. 제시된 화면에서 재미삼아 입력하고 계산해보기 바란다. [8]

늦었다고 생각할 때가 가장 빠른 때"라고 한다. 지금이 가장 좋은 때이다. 지금은 얽매게 하는 게 없는 더없이 편한 나이다. 스스로 관심 있고 잘하는 분야를 열심히 공부해야 한다. 그것이 현재 하는 일의 아이디어를 높여줄 뿐만 아니라 후반전을 위한 준비도 된다. 내공은 하루아침에 만들어지는 것이 아니다.

---

8) 기대 수명 계산기 https://lia47.tistory.com/m/1000

아모르 파티(Amor Fati). 가수 김연자의 노래 '아모르 파티' 가사 중에는 "나이는 숫자, 마음이 진짜, 가슴이 뛰는 대로 하면 돼"라는 문구가 와 닫는다.

가사의 일부 내용이다.

아모르 파티

산다는 게
다 그런 거지
누구나 빈손으로 와
소설 같은 한 편의 얘기들을
세상에 뿌리며 살지!
자신에게 실망하지 마!
모든 걸 잘할 순 없어
오늘보다 더 나은 내일이면 돼
인생은 지금이야.
아모르 파티
:
...

아모르 파티(Amor Fati) "네 운명을 사랑하라."

새로운 삶은 신비롭다

해가 거듭될수록 나이에 따라 몸과 마음의 변화가 생긴다. 긍정적으로 봐야지만 걱정이 앞선다. 삶을 살펴볼 필요가 있고 때론 많은 것들을 내려놔야 한다. 인생 지나고 나면 별일 아닌 것들이 많이 있다.

공자(孔子)는 일찍이<논어(論語)>"위정(爲政)"편에서,

"나는 열다섯에 학문에 뜻을 두었고, 서른 살에 섰으며, 마흔 살에 미혹되지 않았고, 쉰 살에 천명을 알았으며, 예순 살에 귀가 순했고, 일흔 살에 마음이 하고자 하는 바를 따랐지만, 법도에 넘지 않았다."라고 말했다. 일생을 돌아보고 학문의 심화한 과정을 나이에 따른 내용을 말한 것이다.

공자의 이 말은, 15세를 지학(志學), 30세를 이립(而立), 40세를 불혹(不惑), 50세를 지천명(知天命), 60세를 이순(耳順), 70세를 종심(從心)이라고 부른다.

50이라는 나이를 생각해 본다. 지천명(知天命)은 매우 유연해지는 시기다. 어떠한 상황이 오더라도 자존심, 고집을 내려놓고 차분하게 대응할 수 있는 나이다.

60세 이순(耳順)은 아직도 일할 시기이다. 직장에선 퇴직의 나이다. 사회에선 가장 젊은이가 퇴직하는 거다. 권위를 세우더라도 꼭 필요한 경우에만 세워야 한다. 사소한 일까지 권위를 세우는 것은 주변 사람들을 떠나게 만든다.

70세 종심(從心), 공자는 자신의 나이 70세를 회고하면서 '칠십이 종심소욕 불유구'(七十而 從心所慾 不踰矩) 즉'나이 70이 되어 마음 내키는 대로 하더라도 법도에 어긋나지 않았다.'라고 술회하였다고 한다. 그래서 70세를'종심'(從心)이라고 한다. 70세를 다른 뜻으로 고희(古稀)라고도 하는데 이 말은 당나라 시인인 '두보'가 그의 시(詩)에서 '사람이 70세를 산다는 것은 예로부터 드물구나.'라는 뜻의 인생칠십이고래희(人生七十而古來稀)에서 유래되었다. 이 말을 줄여서 70세를'고희'(古稀) 라고도 하는 것이다. 그래서 칠순 잔치를 고희연(古稀宴)이라고 한다.[9]

100세 시대인데 어떻게 될지 걱정해서 걱정이 해결되면 걱정이 없겠다.

9) "Digital"의 뉴질랜드 삶과 인생
https://zestcarnz.tistory.com/2509667

『論語(논어)』 《雍也篇(옹야편)》

지지자 불여호지자, 호지자 불여낙지자

(知之者 不如好之者요, 好之者 不如樂之者니라.)

이는 “아는 것은 좋아하는 것만 못하고, 좋아하는 것은 즐기는 것만 못하다.”라는 의미다. 지식을 아는 앎을 넘어 좋아함으로, 좋아함을 넘어 즐길 수 있는 단계에 올라갈 수 있도록 계속 나아가라는 의미다.

요즘 공부는, 시험공부를 하느라 경쟁에서 이기기 위해 마냥 공부한다. 그저 제도가 그러니 어쩔 수 없다. 학교가 시험공부가 다가 아니라 인생 공부하는 공간이다. 인간관계 맺고 질서와 규칙을 배우는 곳이다.

배우는 것을 즐기는 자가 인생에서 행복한 삶을 사는 것이다. 좋아하는 것 잘하는 것을 찾아주는 게 잠재능력이다. 이를 끄집어내는 게 진정한 교육이다. 그러나 공부가 인생의 전부는 아님을 이제야 안다. 인생을 즐길 틈도 없이 공부하고 일하느라 정신이 없다. 이제는 나이 먹고 퇴직하니 진짜 좋아하는 일을 즐겁게 해야 함을 느낀다. 이 문구가 더 일찍 알았더라면 좋았을 텐데….

안빈낙도(安貧樂道)란 도가 즐거워 가난도 잊고 사는 삶이다. 남이 좋아하는 일이라고 다 좋은 것이 아니다. 내가 좋아하고 즐거운 일을 찾는 것이 성공의 첫걸음이다. 사람이 성공하려면 좋아하는 것을 해야 한다. 좋아서 하는 일은 힘이 들어도 고생스러워도 불만이 없다. 성공하지 못해도 원망스럽지 않다. 사람이 성공하려면 좋아하는 것을 해야 한다.

이시형의 도서 『인생 내공』에는 내일을 두려워하며 나이 드는 것에 대해 부정적으로 생각할 필요 없다고 한다.

"나이 먹은 뇌는 나잇값을 하므로 아는 것과 모르는 것을 분명히 알고, 되는 것과 안 되는 것, 할 수 있는 것과 할 수 없는 것을 객관적으로 판단할 수 있게 된다."라고 했다.

인생 후반전을 위한 말도 감동이다.

"멀티맨이 되라, 실속 없는 체면은 인제 그만, 마음의 눈(心眼)을 떠라, 인생을 다시 시작하기에 늦은 때는 없다, 평생 나를 지키는 인생 공식, 비우고 채우고 나누어라" 등 좋은 문장과 실천해야 할 내용이 많이 있다. 인생은 길게 보니 마라톤임을 실감한다. 젊은 시절부터 능력을 쌓거나 인간관계를 잘 맺어야 하는데 바쁘다는 핑계로 잘 지내지 못했다. 그뿐만 아니라 여유 시간도 없이 일하느라 세월을 보냈다.

이시형 의사는 또한 인생을 충족시키는 부의 조건 5가지를 이야기한다.

첫째, 돈의 중요성이다. 돈은 얼마나 가졌느냐가 아니고, 얼마나 제대로 잘 쓰느냐에 달려있다고 한다.

둘째는 시간이다. 어느덧 퇴직이다. 이제는 쓸데없는 일에 낭비하여 쫓기는 시간이 되지 말고 시간 부자가 되어야 한다. 남은 시간 가치 있게 사용하라는 의미다.

셋째, 친구이다. 퇴직 이후 함께하는 친구가 있어야 인생 후반이 넉넉하다고 한다.

넷째, 취미다. 인생에서 퇴직 이후의 긴 시간을 즐길 수 있는 일이 있어야 나날이 설레기 때문이다.

다섯째, 건강이다. 건강이 제일이다. 특히 다리부터 튼튼해야 한다. 나이 들면 여행도 관절이 튼튼해야 다닌다.

의사로서 살아온 치료 경험과 본인 삶의 경험에 기초한 구구절절 옳은 이야기에 감동이다. 누구에게나 정년은 찾아오고 노년은 필수다. 피할 수 없는 나의 숙명이고 인간의 운명이다.

정년퇴직했지만 일을 계속해야만 하는 처지가 되는 시대다. 은퇴했지만 은퇴가 아니다. 생각대로 풀리지 않는 것이 인생이다. 직장에서 퇴직한 거지 인생에서 퇴직한 게 아니다. 후반전 인생 시작하는 첫 발령이 난 거다. 전반전 무사히 뿌듯하게 마쳤다면 스스로 축하할 일이다. 지금부터가 후반전 인생 출발이다. 본격적인 인생의 성패는 정해지지 않았다. 인생의 전반부는 생계유지를 위한 삶을 살았다면, 인생의 후반부는 의미 있는 삶과 가치를 위해 사는 일이다.

퇴직 후의 삶을 어떻게 살아가야 할지 걱정이 많다. 중요한 것은 지금부터의 삶이 끝이 아니고 새로운 시작이다. 생계에 대한 분명한 대책이 있어야 한다. 내 뜻대로 내가 세상을 향해 당당하게 나가는 거다.

퇴직 후 건강 문제는 가장 중요하다. 갑작스러운 질병이나 사고만을 얘기하는 것이 아니다. 퇴직으로 소득이 줄었고, 자녀의 교육비·결혼자금 부담에 휘청일 수 있다. 창업을 시도할 때는 남들의 두 배 이상의 공부와 준비가 필요하다. 창업에 실패하거나 투자가 빚더미로 금융사기를 당하기도 한다.

세상에 뜻을 펼치는 삶

책 『은퇴 후 8만 시간』은 퇴직 이후의 새로운 일을 준비하라고 권한다.

은퇴 전까지 생계유지를 위한 일을 했다면, 은퇴 이후에는 내 꿈을 위한 준비를 하라는 거다. 후반전 인생은 경제적 어려움, 건강 문제, 외로움, 우울증 가족 간의 갈등이 있다고 한다. 퇴직 후엔 갈등을 세상에서 하나씩 없애는 삶이다.

인생 후반 무엇을 하며 지낼까?

그동안 쉼 없이 달려왔는데, 퇴직하고도 또 일해야 하냐고 물을 수 있다. 인생 전반의 일은 가르치는 일을 해야 하는 책임감으로 지냈다. 이제는 새롭게 배우는 일을 해볼까. 잘하는 일에 더 잘하도록 배운다면 기쁘게 배운다. 인생 후반전 삶을 풍성하게 하는 일이면 족하다. 은퇴 후 삶을 살펴보면 매우 다양하다. 개인 봉사활동 및 지자체에서 후원하는 자원봉사 활동을 하는 분, 가르치는 일을 다시 시작하는 분, 여행을 다시고 운동을 즐기는 분 등 바쁘게 지낸다. 이제 어디서 무엇을 하며 살 것인지 고민이다.

퇴직 후 각종 자격증이 있는 사람은 취업에 유리하지만, 누구나 다 곧바로 취직되는 건 아니다. 최근 어렵고 힘든 일은 외국의 인력이 대신하는 경우가 많다. 젊은 층도 취업하기 힘든 세상에 나이 먹은 나를 고용해 주면 다행이다.

수십 년을 직장 생활하신 후 퇴직을 하면 어떤 마음일까?
퇴직 후 행복한 삶은 무엇일까?
의미 있는 삶은 무엇일까?

[국민 내일배움카드] 신청 및 자격을 취득하는 경우가 많다. 직업능력개발훈련을 실시할 수 있도록 훈련비가 지원되는 카드이다. 훈련이 필요한 국민이라면 누구나 신청할 수 있다. 현재는 1인당 300~500만 원까지, 훈련비의 45~85% 지원한다. 퇴직 이후 배우는 과정이다. 누군가는 이 카드를 활용하여 취업하는 경우가 있다. 모두 내 능력이 된다.

10)

나를 위한 삶

이제는 퇴직이다. 재직시절의 공무원은 법에 따른 품위유지가 중요했지만 이젠 자유인이 되었고, 일반인이다. 연금이 나온다. 재직시절 많은 기여금을 냈으니, 국가에서 주는 보상이다. 고경력자는 대부분 연금을 받고 걱정 없이 사시는 분도 있다. 그렇지만 대부분 경제적인 안정을 유지하는 게 중요하다.

직장과 가정 등 정신없이 타인을 위한 삶을 살다가 갑자기 나를 위해 살려니 처음에는 홀가분하고 감사했지만, 점점 무료해지신다는 분들도 많다. 사람마다 행복과 고통을 느끼는 지점이 다 다르다.

연금 받고 산다고 하는 일 없이 지낸다면 이 또한 고역이 될 수 있다. 소일거리가 있어야 삶의 활력을 얻는다. 연금소득자 중 일부는 가정에서 자녀를 돌보거나 여행하고, 규칙적으로 운동하고 지낸다. 음악이나 미술에 취미 생활하거나 배움 아카데미에서 지내는 경우도 많다.

---

10) 고용노동부 정책 https://www.hrd.go.kr/

지금 무엇을 할 수 있을까?

취미가 뭐야?

100세에 하고 싶은 말은 있는가?

평생 즐기는 취미가 중요하다. 문화생활과 여가 활동하면서 지금 잘 살기 위해 더 노력하고 용기를 내야겠다. 가슴이 뛰는 일을 만나면 다행이다. 나이가 들수록 자기 삶만큼은 자신이 감당할 능력을 키워야 한다. 나다움을 위한 삶을 생각하는 시기다. 지금까지 배워서 남 주는 삶을 살았으니, 이제는 나를 위한 삶을 살아보자. 은퇴 후 시간을 보내는 일을 생각하자. 내 삶을 되돌아보면서 잊었던 것들을 조금씩 찾는다. 자신을 위한 시간을 갖는 것은 재충전과 영감에 도움이 된다. 나에 대한 투자는 회복력과 힘을 길러준다.

만약 환갑이라면 100세를 기준으로 40년 기간이다. 건강관리 잘해야 한다. 가정과 사회를 위해 보람된 일을 하면서 살아야 한다. 환갑이 지나면 인생을 오래 산 인생 전문가다. 그렇다고 다른 사람들에게 과거처럼 “가르치려고 하지 말라”, “나 때는 말이야 하지 말라”고 이야기한다.

과거를 되돌아보면 눈에 밟히는 일도 있겠다. 모두 지나간 일이다. 지금은 마음 내려놓고 성찰하는 일이다. 이제는 모든 곳이 행복한 삶터가 되어야 한다. 그래야 언제 어디에서든지 보람과 만족, 즐거움과 행복, 성취감이 향상되는 삶이다.

도서 『휴테크 성공학, 김정운』는 휴테크 성공학에서 휴테크에 관한 내용을 재미있게 제시했다.

"미래의 행복을 위해 현재를 저당 잡히지 말라. 무언가가 충족되어야 행복한 것은 아니다. 행복은 생활의 과정이 즐거운 것이다." 삶의 과정에서 일상을 즐겁게 지낸 게 행복이라 한다. 휴식(休息)의 휴(休)는 사람(人)이 나무(木)에 기대어 앉아 있는 모양이고, 식(息)은 자신(自)의 마음(心)을 돌아보는 것이다. 진정한 휴식과 여가는 자기의 내면을 들여다보고 나를 바라볼 수 있게 해주는 거울이라고 한다.

우리나라 음악 '태평가'의 노랫말이다.

"짜증을 내어서 무엇 하나, 성화를 바치어 무엇 하나, 속상한 일이 하도 많으니, 놀기도 하면서 살아가세."

이제는 이기주의와 이타주의 균형을 이루며 살아가는 시기다. 지금보다는 미래의 삶이 중요하다. 내 삶은 내가 행복하면 된다.

가족을 위한 삶

퇴직 후 가족을 위하여 어떤 삶을 살아야 할까?

가족을 위한 그동안 삶은 소중한 가치이다. 가족 간의 유대 강화는 모든 단계에서 삶의 여정을 풍요롭게 한다. 가족은 사랑과 지지, 지혜를 제공하는 일이다. 퇴직자는 주변에서 아주 쉽게 접할 수 있는 현실적인 문제이다. 가족을 위한 삶을 살았다. 가족의 세상사는 다양하므로 일반화는 어렵다. 다만 가족은 경제적, 육체적, 정신적 모든 부분에서 우선이다. 퇴직은 가정에서 지내는 시간이 많다. 가정에 소홀히 한 삶이라면 이제는 달라져야 한다. 일을 중심으로 삶을 살았다면 가정을 중심으로 삶을 변화다. 하루아침에 달라지지 않겠지만 변화가 요구된다.

가족관계는 우리 삶에서 행복의 원천이다. 가정에서 가족과의 관계를 편안하게 할 것을 찾아야 한다. 일을 찾아서 집안 청소하는 일, 빨래, 설거지하는 게 기본이고, 일상의 가치이다. 가정에서 요리할 수 있는 능력은 소중하고 매우 가치가 크다.

가정은 나를 더 성장시킬 수 있는 장소다. 역할 분담이다. 서로를 이해하고 가사일 하나씩 이루어지는 실천이 가족 사랑이다. 가정은 삶의 시작이며 사회의 기본이고 가정이 행복해야 삶이 행복하다. 가족은 행복의 원천이다.

청춘은 지났지만, 마음만은 청춘이라고 외친다. 퇴직 후 시간은 많다. 노인네 소리 들리기엔 아직 멀다. 100세 시대 어마어마한 시간이 남아 있다. 내게 주어진 능력을 베풀어야 하는 곳이 가정이다. 가정에 집중해야 편안한 노후가 기다린다.

이제 반겨주는 이 있으면 다행이고, 무료함을 견디는 능력을 길러야 한다. 취미생활과 봉사활동이 중요하다. 퇴직해서도 부모의 삶이 자랑거리가 된다면 좋은 일이다. 가족관계는 서로를 돌보는 삶이다. 특히 경제적인 부분은 더욱 중요하다. 교사로 재직하며 먹고살기도 힘든 세상을 살았다. 내 능력의 한계를 알면서도 일을 했다. 행복을 추구하며 살았지만, 행복을 잊고 살았는지 모른다. 하지만 지금 되돌아보면 지금까지 살아온 게 행복이다. 앞으로도 행복하게 세상을 사는 일이 남아 있다. 이 또한 내 능력에 의존한다면 쉬운 일은 아니다. 마음을 비우는 태도가 중요하다.

세상을 위한 삶

재직기간은 학교에서 정해진 시간에 정해진 업무를 하는 삶이다. 퇴직은 내가 일을 만들어 내는 삶이다. 내가 하고 싶은 일을 내 맘대로 하는 일이다.

"내가 좋아하는 일이 무엇인지", "어떠한 일을 잘할 수 있는지", "나에게 맞는 직업은 무엇인지" 눈높이를 낮추고 바라본다. 노후에는 양질의 일자리가 부족하다. 퇴직 후 좋은 일자리에 취업하기 위해서는 미리 계획을 세우는 것이 좋다.

연금을 받고 사는 방법 중에 좋은 아이디어가 있다고 한다. 현재의 집에서 경제적으로 걱정하지 않고 살 수 있다면 다행이다. 넉넉하지 않다면 주택의 규모를 작게 해서 살고, 임대소득이나 월세를 받는 방법도 있다. 지금 사는 주택을 담보로 주택연금도 있다.

세상은 빠르게 변한다. 최신 정보를 유지하는 것은 중요하다. 은퇴 후에도 삶의 질을 위한 경제활동은 불가피한 경우가 많다. 사회활동 참여하거나 재취업하여 추가 소득을 얻을 수도 있다.

퇴직 후 휴식을 취하고 노후를 계획한다. 다만, 일을 한다면 자기 행복이나, 즐거움이 우선이 되면 행복하다. 그동안의 삶에서 얻은 경험을 활용한다. 행복한 노후 건강을 유지하면서 남에게 도움을 주며 즐기는 봉사활동 및 작은 소일거리를 찾는다. 세상을 위한 봉사활동은 대도시 지역의 구청이나 동사무소 센터에 찾으면 할 일이 많다. 재능기부도 좋고 사회에 이바지하는 유의미한 일을 찾는다.

귀농, 귀촌하려면 미리 "주말농장도 경험해야 한다."라고 전한다. [귀농·귀촌 그린대로]는 다양한 정보를 제공해준다.

그린대로

가이드 알림소식 종합정보 교육정보 체험정보

성공적인 귀농을 위한 STEP7 더보기

- STEP 01 귀농 정보를 수집하자!
- STEP 02 가족들과의 충분한 의논
- STEP 03 어떤 작물을 기를까?
- STEP 04 영농기술을 습득하자!
- STEP 05 어디서 정착할까?
- STEP 06 주택과 농지를 확인하자!
- STEP 07 영농계획을 수립하자!

성공적인 귀촌을 위한 STEP6 더보기

- STEP 01 귀촌 정보를 수집하자!
- STEP 02 가족들과의 충분한 의논
- STEP 03 어떤 일을 할까?
- STEP 04 어디에 정착할까?
- STEP 05 주거공간을 확인하자
- STEP 06 구체적인 생애 경력계획을 수립하자

[11]

11) 귀농 귀촌 그린대로 https://www.greendaero.go.kr/

자아실현 하는 삶

헬리스 브릿지스는 "나는 그저 살아가기 위해 태어난 것이 아니다. 의미 있는 인생을 만들기 위해 태어난 것이다."라고 했다. 제2의 후반전 삶은 의미와 가치를 생각하는 삶이다.

"자아실현 욕구는 성장 동기가 계속적으로 충족되는 것"이라고 매슬로는 말했다. 자아실현은 물질적 욕구와 사회적 욕구를 뛰어넘는 정신적인 자기만족, 외부의 상대적 기준에 의해서가 아니라 자기 자신의 기준을 만족시키는 상태이다. 사회 공헌이나 자아실현을 해야 하는 이유는 자신의 잠재력을 통해 만족감을 느낄 수 있기 때문이다. 자기만족이며 보람이고 기쁨이며 행복한 삶이다. 어떤 상태에 처하든 스스로 가장 만족한, 가장 충만한 상태를 유지할 수 있는 것이 바로 자아실현의 단계이다. 자기 자신의 기준을 만족시키는 상태를 말한다.

내 인생은 내 것이지만 내 인생 시간은 정해져 있다. 시간 낭비는 아까운 일이다. 나는 나다. 내가 중심을 잡고 뒷심을 발휘할 때이다. 개인이 추구하는 가치가 하는 일에서 의미를 찾을 수 있다면 금상첨화이다. 50세 전후에 은퇴한다면 인생의 절반을 산 셈일 뿐이다. 60에 은퇴해도 40년이다. 과거 40년 전으로 간다면 20세이다. 무엇이든 할 수 있는 나이가 되는 시기다. 100세 시대 퇴직 후 삶은 인생 2모작이다. 평생 학습 시대이다. 나이가 들어 비로소 배움을 시작한 사람도 많다. '나이는 숫자에 불과하다'라는 말이 있다.

배움에 무슨 나이가 중요할까? 잘하는 일, 좋아하는 일, 즐거운 일, 세상에 이바지하는 일, 의미 있는 일, 가치 있는 일…. 이 일을 찾아서 한다면 청춘이다. 청춘은 바로 지금부터이다. 제대로 할 일이 없다면 배워서 행하는 게 삶이다.

옛말에 "늦었다고 생각할 때가 가장 빠른 때다"라는 말이 있다. 늦었다고 생각하더라도 포기하지 않고 일을 실행하는 것이 아무것도 하지 않고 있는 것보다는 낫다는 뜻이다. 후회하지 말아야 한다는 가르침이다. 지금 늦지는 않았지만, 빠른 것도 아니다.

무엇인 가치 있는 인생일까?

자신의 역량을 잘 발휘할 수 있는 분야, 적성에 잘 맞는 직업을 선택하는 것이 삶의 만족도가 높다고 한다. 경력을 살려 내 삶을 만족스럽게 사는 것이다. 삶의 만족감을 높일 수 있는 노후를 준비하면 으뜸이다.

진짜 속마음은 무엇일까?
늦었다는 것은 빨리 포기하고 싶은 게 아닐까?
무엇인가 하기엔 나이가 많다고 할 수 있을까?

어차피 안될 거 빨리 포기하는 게 더 낫다는 이야기가 맞는 말일지도 모르겠다. 미움받을 용기가 필요하다. 선인들도 스스로 깨우치는 중요성을 일컬어 '일신일신우일신(日新日新又日新)'이라 했다. 모든 일은 자신이 내딛는 첫 발자국으로부터 시작된다. 늦었다고 생각할 때는 사실상 가장 빠른 때다. 지금 오늘이 가장 젊은 날 아닌가?

소크라테스는 "지식과 덕은 하나다. 따라서 덕은 가르칠 수가 있다. 그러므로 덕은 모든 사람의 목표이어야만 한다."라고 강조했다. 올바름을 뜻하며 도덕을 강조하는 말로 해석된다. 사회적인 규범을 알고 잘 지키는 것이 예절이고 질서고 규범이다. 고마운 마음을 아는 얻는 것이다. 내 마음엔 덕의 목표는 인격 형성이 출발이요, 세상을 아름답게 한다는 홍익인간으로 해석한다. 내 마음은 속 시원하게 느낀다. 세상은 나로부터 시작된다. 이제 나를 바로잡고 나를 돌아봐야 한다고 다짐한다.

에머슨은 “봉사하라, 그러면 당신은 봉사 받게 될 것이다. 사람들을 사랑하고 그들에게 봉사한다면 당신은 꼭 보상받을 것이다.”라고 했다. 작은 봉사라도 그것이 계속된다면 참다운 봉사이고, 만족의 길을 걷게 된다고 선현들은 이야기한다.

행복은 어디에 있을까?

행복은 결국 내 선택이다. 감사와 사랑을 실천하는 일이 행복한 일이다. 여가시간에 너와 나를 위한다면 참된 거란다. 남을 행복하게 하는 것은, 행복을 얻는 주인공이 된다.[12] 제2의 인생 시작이다. 인생 후반전을 시작하는 거다. 후반전은 모든 게 낯설지만 시작하면 가장 빠른 때다. 오늘이 가장 젊은 날이다. 봉사, 여가 활동도 건강해야 할 수 있다. 바로 내 마음속에 행복이 있다는 것을 깨닫게 된다. 남은 인생에서 얼마나 행복해지는가, 남을 행복하게 하는가, 꿈을 이루는가, 사회에 공헌하는가가 행복이다.

---

12) 한국 시니어 TV
인생은 60부터? 노후 준비를 위한 재테크 [생각을 바꾸는 시간 15회]
https://www.youtube.com/watch?v=AhgYnS-0BNM&ab_channel=%ED%95%9C%EA%B5%AD%EC%8B%9C%EB%8B%88%EC%96%B4TV

행복한 미래
롱런하는 내 인생

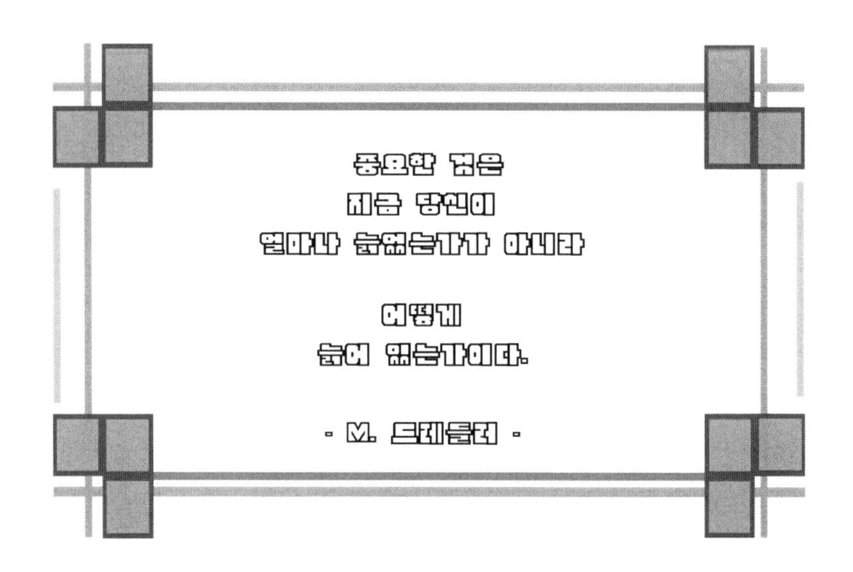
중요한 것은
지금 당신이
얼마나 늙었는가가 아니라
어떻게
늙어 있는가이다.
- M. 드레들러 -

3부 행복한 미래 롱런하는 내 인생

퇴직 후 지낼 시간을 매우 길다.

평생직장은 끝났다. 이제는 평생 학습하는 일이 남아있다. 평생 학습 시대에서 평생 해야 할 일거리를 찾는 게 롱런(Long Run)하는 인생이다.

롱런(Long Run)하는 삶은 롱런(Long Learn)이다.

롱런(Long Run) 어떻게 하지?

평생 학습은 롱런(Long Learn)하는 삶이다. 평생 현역이 되는 삶이다. 롱런(Long Run)은 롱런(Long Learn)하는 삶이요, 롱런(Long Learn)은 지금부터 시작이다.

롱런(Long Learn)하는 삶은 배우고 익히며 시간을 보내야 한다. 공부는 이제 시작이다. 여가는 독서하고 배우며 일거리를 찾아서 해야 하는 시간이다.

배우고 싶은 것을 배우는 게 행복한 시간이다.

롱런(Long Run) 롱런(Long Learn)이다

공부는 “학문이나 기술을 배우고 익히는 것”이다. 평생 해야 하는 게 공부다. 그래서 평생 공부라는 말이 오늘날 중요하므로 누구나 실천해야 한다. 미래에는 지속적인 학습이 필수다. 가장 중요한 것은 평생 배우고 공부하는 학습 습관을 지닌 능력이 필요하다. 홍익인간의 이념과 정신을 실천할 때이다.

가치 있는 삶은 무엇인가?
미래를 어떻게 준비하면 좋을까?

오늘날 어른들이 갖추어야 할 역량 능력은 다양하며, 그중 몇 가지를 제시해 본다. 롱런(Long Learn)하는 삶이다. 평생 학습하는 사회로 이동하여 새롭게 배우는 시기다. 이제는 가르침의 삶이 변하는 과정이다. 가르침이란 열정과 사랑이요, 배움이란 호기심과 존중으로 배우는 것이다.

평생 공부하는 삶

찰스 다윈은 “가장 강한 종이 살아는 것이 아니다. 가장 두뇌가 뛰어난 종이 살아남는 것도 아니다. 단지 변화에 잘 적응하는 종이 살아남는다.”라고 했다. 변화하는 세상에 변하지 않는 것은 없다. 새로운 지식과 기술을 배우기 위해 책을 읽거나 강의를 듣는 것이 좋다. 온라인에서는 많은 공개 강의나 웹사이트를 통해 학습할 수 있다. 시대의 변화에 유연하게 대응하고, 새로운 상황에 잘 적응하는 게 필요한 때이다.

평생교육 시대는 공부를 평생 해야 하는 업이다. 기술이 발달함에 따라 로봇과 인공지능이 일을 대신하고 있는 시대이다. 기술이 빠르게 발전하고 사회가 계속 변화하므로, 새로운 정보와 지식을 빠르게 습득하고 적응하는 능력은 필수다.

“십 년이면 강산도 변한다.”라는 말이 있다. 세월이 흐르면 변하지 않는 것이 없다. 변화에 적응하고, 미래를 위한 공부는 필수인 시대다. 평생 공부해야 하는 평생 학습 시대다.

인생 공부란 무엇인가?

진정한 공부는 내가 하는 것이고, 지식을 쌓는 것이다. 이 세상과 소통하고 베푸는 공부다. 좋은 사회, 좋은 세상에서 함께 행복하게 하는 공부가 진짜 공부다. 이제는 생각을 바꾸어 세상을 자신 있게 사는 것이다. 남들에겐 없지만 나에게 있는 내 것이 있다. 나다움이다.

공자가 『논어』에서 한 말씀이다.

학이시습지 불역열호(學而時習之 不亦悅乎)

"배우고 때로 읽히면 또한 기쁘지 아니하랴?"

평생 학습 시대엔 공부가 제일이다. 배운다는 것에 큰 기쁨을 느끼는 나이다. 자신의 삶을 가치 있게 바라보는 성찰이다. 나를 위하고 너를 위하고 우리를 위한 공부이다. 공부는 나와 평생 함께하는 아름다운 동행이다. 이제는 새로운 기술과 지식을 배우지 않을 수 없다. 지금 하는 업을 자아실현 이상을 넘어서 타인과 세계에 공헌하는 욕구라 생각하면 행복의 가치는 커질 것으로 믿는다. 인생의 진정한 가치를 찾는 것이 필요하다. 지금부터 다시 배우면 된다. 내 인생에서 진짜 하고 싶었던 일을 하는 것이다.

인생은 희로애락의 삶이다.

탄탄대로만 걸어온 사람은 아무도 없다. 시기만 다르지, 누구나 힘들고 어려운 일을 경험한다. 살아 보니 “세상에 공짜가 없다”를 실감한다. 오늘날 가장 필요한 사고방식이다. 어떤 일을 하면 성공과 실패는 누구나 경험한다. 이를 받아들이는 내 마음가짐이 중요하다. 내 생각이 행동과 운명을 결정한다. 내가 새로운 환경에 적응하는 방법이다. 마음의 변화가 시작이다. 새로운 미래 도전에는 끝이 없다. 사회 변화에 따라 요구되는 능력은 달라진다. 변화에 대응하는 게 배우는 능력이다. 지금 그렇다고 미래를 생각해 안달하지 않기를 바란다.

퇴직했는데 ”무슨 공부야” 하면서 책과 글을 읽지 않으면 안 된다. 공부하는 방법은 다 알 것이다. 책을 읽는 일이다. 책만큼 훌륭한 스승이 없다. 책을 많이 읽은 사람과 그렇지 않은 사람의 차이는 실력으로 나타난다. 책 읽기는 습관이다. 일상화된 책 읽기가 공부다. 강의는 경험을 듣는 일이다. 짧은 시간에 지식을 습득할 수 있는 좋은 방법이다. 세상을 공부하는 방법이다. 또한 여행하는 것도 현장에서 배우는 생생한 공부다. 진짜 공부는 지금 당장 책을 읽는 일이요, 글을 쓰는 일이며, 강의 듣는 일이다.

행복한 노후는 NO가 필요하다.

하지 말아야 할 일이 많다. 주변에서 “투자하자”라는 등 일확천금을 노리는 투기나 투자는 조심하는 일이다. 또한 자녀에게 재산을 빨리 물려주는 일이다.

그동안 책을 쓰고 느낀 건 나 자신의 무지이다. 지금까지 깨달은 건 얼마나 무지한지 알게 되었다. 독서하고 강의 듣고 글을 써보니 더 많이 알게 된 자부심이 아니라 빈 깡통임을 다시 깨닫는다. 지금도 글을 쓰는 이유는 하나이다. 내가 알고 있는 걸 모르는 누군가에게 전하고자 하는 사명이다. 글은 사회 변화를 일으키는 계기가 된다. 지식도 하나의 선물이다. 지식을 전달하는 게 문화 발전의 원동력이 된다.

누구나 다 때가 있으니, 좋아하는 일, 잘하는 일, 하고 싶은 일을 찾아서 즐겁고 행복하게 지내길 소망한다. 좋은 시기는 적당한 시기도 아니고 가장 적절한 시간이 지금이다. 퇴직을 시작하면서 공부와 담을 쌓는 경우가 많다. 나이 들어서도 평생 공부를 계속하면 몸과 마음이 젊어진다. 정보의 홍수 속에 살아남는 길이다. 평생교육에 달렸다.

롱런하는 삶의 5가지 원칙

잡코리아의 조사에 의하면 직장인의 74.1%가 노후 준비를 잘하지 못하는 것으로 나타났다. 대부분 자녀 교육, 주택 구매 문제로 먹고살기도 빠듯해서 은퇴 이후의 삶까지 걱정할 여력이 없다고 조사됐다. 퇴직 후 대부분 사람이 고민이 많다고 한다.

퇴직 후에도 경제활동 하는 사람들이 많다. 노후 준비는 새로운 길을 찾아가는 거다. 요즘 세대는 노후를 준비해야 하는 세대라는 점을 너무나 잘 알고 있다. 미리 준비해도 원하는 수준의 생활을 하는데 충분하지 않을 것은 분명하다.

은퇴 이후의 삶 어떻게 해야 할까?

긴 긴 시간 뭐하지, 하며 소일거리를 걱정한다고 한다. 누군가는 취미와 특기를 가지고 재능 기부하며 취미활동 하듯이 사회 공헌 활동한다. 용돈벌이, NPO 활동, 자아실현, 봉사활동, 재취업, 자기만족 추구하는 일 하기, 젊은 세대가 할 수 없는 나만의 경험을 제공하는 일 하기, 등 매우 다양하다.

퇴직 후 오래 활동하는 삶의 5가지 원칙을 알아본다.

① 내 몸 건강은 내가 지킨다

"건강한 신체에 건강한 정신이 깃든다"라는 말이 있다. 건강한 육체의 소중함을 강조하는 말이다. 건강한 신체와 정신 수양도 중요하다는 의미다. 몸이 건강해야 즐거운 생활을 할 수 있다는 뜻이다. '체력은 국력이다.'라고 한 광고가 있다. 내 몸 건강은 건강할 때 보물처럼 잘 지키는 일이다. 나이가 들어도 취미로 소일거리, 독서, 스포츠, 사교모임 등을 꾸준히 해 나갈 체력은 필요하다.

'건강하다'라는 것은 신체와 정신이 모두 건강한 상태를 뜻한다. 내 몸 건강은 가족과 세상에 이바지하는 행동이다. 평소에 균형 잡힌 삼시세끼를 규칙적으로 잘 먹는 생활 습관이 중요하다. 위장과 치아가 튼튼할 때 잘 먹는 것이요, 관절이 튼튼할 때 여행도 가는 것이다. 건강은 노년기 삶의 질을 좌우한다. 건강을 유지하려면 좋은 방법은 다 안다. 잘 먹고, 충분한 수분을 보충하고, 꾸준한 운동을 하는 생활이다. 술과 담배는 하지 않고, 규칙적인 식사, 걷기, 하체 단련 등 꾸준히 운동하며 지내야 한다. 제대로 실천하지 않는 게 우리네 삶이다.

의사들은 투자해야 한다고 말한다. 어디에 투자하느냐 묻는다면 자기 몸에 투자하라고 전한다. 제일 가치 있는 투자가 바로 내 몸이라고 전한다. 나이 먹으면 제일 중요한 게 건강이다. 건강하다면 지속하게 운동하는 일이다. 만약 지금 건강하지 못하다면, 지금부터 관리를 잘해야 한다. 어떻게 관리하느냐에 따라 미래가 달라진다. "노력은 배신하지 않는다"라는 말이 있다. 꾸준한 운동으로 건강한 삶을 유지하는 습관을 강조한다. 건강은 건강할 때 지킨다.

"돈을 잃으면 조금 잃는 것이고, 명예를 잃으면 많이 잃는 것이며, 건강을 잃으면 모두 잃는다."라는 명언이 중요하다.

톨스토이는 "이 세상에 죽음만큼 확실한 것은 없다. 그런데 사람들은 겨우살이를 준비하면서도 죽음은 준비하지 않는다. 라고 했다. 인생의 의미와 삶의 지혜를 담은 핵심이 되는 말이다.

새뮤얼 스마일즈는 "젊은 시절 노년의 불행과 궁핍함에 대비하라. 노년의 불행과 궁핍함으로 우리의 지난날을 평가할 수 있다."라고 했다. 시간은 누구에게나 공평하다. 누구나 편안한 삶, 건강한 삶, 경제적으로 여유로운 삶이 지속되기를 희망한다.

우선순위에 따라 다르지만, 노년에 이르면 공통으로 하는 말이 있다. 체력이 으뜸이요, 재력과 다양한 능력이 중요하다고 한다. 나이가 들면 건강한 사람이 가장 부자요, 건강한 사람이 가장 행복한 사람이요, 건강한 사람이 가장 성공한 사람이며, 건강한 사람이 가장 잘 살아온 사람이다.

보건사회연구원에 따르면 남성은 64세, 여성은 66세 이후에 평생 의료비의 절반을 사용한다고 보고했다. 노후엔 의료 시설에 쉽게 접근할 수 있어야 한다. 주변에 어떤 의료 시설이 있는지 잘 따져봐야 한다. 자연환경을 과도하게 중요시해 외딴곳에 거주지를 정하는 바람에 노후에 몸이 아파 병원에 가는 게 어려워지는 일을 막아야 한다.

지금 무엇을 준비해야 할까?

여러 정보를 통해 할 수 있는 가능한 것을 살펴볼 수 있다. 건강을 유지하는 비결은 따로 없다. 마음가짐과 규칙적인 운동이다. 땀을 흘려보면 자신감과 다른 기쁨을 알게 된다. 규칙적인 운동과 소일거리를 찾는 건 어려운 일이 아니다. 정신적 신체적 건강, 경제적 여유, 개인의 여유로운 삶을 위한 여가 취미나 특기 등 많다.

② 같이하면 가치 있다

퇴직 후 인간관계가 더는 확장이 어렵다. 또한 온라인 관계는 활발하다지만 무의미할 뿐 아니라 도리어 피로감을 줄 수 있다. 온라인 관계는 숫자에 불과하다고 말하는 사람도 많다. 그래도 SNS 활동은 안 하는 것보다는 삶의 비타민이 된다.

인생 100세 시대를 맞아 은퇴 후 보통 30년, 40년 이상을 살아야 한다. 은퇴 후 직장 동료나 친구들과 일절 교류를 끊는 것은 좋은 선택이 아니다. 다양한 사람을 만나야 한다. 즐겁게 인간관계를 만들 수 있어야 한다. 은퇴 후에 어떻게 생활할지 깊이 고민해 취미를 찾거나 인적 네트워크를 가져야 한다. 퇴직하면 무엇을 하지 고민하는 게 아니라 고생하는 거다. 가슴 설레게 하는 행복한 일 찾기가 새로운 인생의 시작이다.

아프리카 속담에 “빨리 가려면 혼자 가고, 멀리 가려면 함께 가라”는 말이 있다. 퇴직 후 인생은 긴 여행길과 같아서 그 먼 길을 가기 위해서는 함께 가야 한다. 인생의 길이 이러하다.

최근에는 지역 공동체에서 은퇴자들의 프로그램이 점차 늘어나고 있다. 원하는 것을 찾아 선택하고 참가해 활동할 수 있는 시간을 가져야 한다. 대학의 평생교육기관이나 시니어를 위한 은퇴 교육기관 같은 데 가서 배우면 다양한 사람을 만나게 된다. 즐겁게 인간관계를 만들 수 있다. 더불어 함께라면 서로 위로해 주고, 격려해 줄 수 있다. 그뿐만 아니라 함께 더 풍요로운 삶을 즐길 수 있다. 취미는 혼자 하는 것보다는 다른 사람들과 함께하는 것이 좋다. 어떤 것을 할까, 고민하지 말고 하고 싶은 것을 먼저 시작한다.

내가 좋아하는 것을 함께 좋아하는 친구들과 함께한다면 기쁨과 활력이 생긴다. 취미생활을 통해 부지런한 생활을 하게 된다. 삶의 원동력이다. 취미가 봉사활동이라면 더 나은 삶이다. 나는 도서관에서 글쓰기를 통한 나눔을 하고 싶다.

은퇴 후 생활의 중심은 대부분 집이다. 가족, 자녀와 함께 한다. 가족과 함께, 친구와 함께, 이웃과 함께라면 더욱 따뜻하고 행복한 사회다.

인간관계 맥을 짚어야 한다. 디지털 시대 인간 관계는 더욱더 중요하다. 인공지능 시대 사람을 사랑하고 사람을 존중하는 삶이 매우 중요하다.

인간관계는 시간이 지난다고 저절로 깊어지는 것은 아니다. 기업체에서는 “인재는 고쳐 쓰는 게 아니라 골라 쓰는 거”라고 한다. 다른 사람들과 소통하고 협력하는 것은 다양한 능력을 키우는 데 도움이 된다. 본인이 원하는 삶을 살아가지만, 이기주의와 이타주의의 균형을 이루는 삶이 필요하다. 세상을 둥글둥글하게 살아가고 싶다면 말 그대로 원만한 인간관계를 가져야만 한다.

맹자가 말한 사단(四端)이다.[13]

“유학(儒學)에서 인간의 본성(이성, 덕)을 가리키는 말이다. 맹자는 인간이 본래부터 선한 마음을 가지고 있다고 주장하는 성선설을 내세우며, 사단(선을 싹틔우는 4개의 단서, 실마리)인 측은지심(惻隱之心) · 수오지심(羞惡之心) · 사양지심(辭讓之心) · 시비지심(是非之心)을 말한다.

측은지심(惻隱之心)은 어려움에 부닥친 사람을 애처롭게 여기는 마음이다. 수오지심(羞惡之心)은 의롭지 못함을 부끄러워하고, 착하지 못함을 미워하는 마음을 뜻한다.

13) 위키백과 사단
https://ko.wikipedia.org/wiki/사단

사양지심(辭讓之心)은 겸손하여 남에게 사양할 줄 아는 마음이다. 시비지심(是非之心)은 옳고 그름을 판단할 줄 아는 마음을 뜻한다. 미래에도 이것은 여전히 중요한 인간적인 능력이라고 할 수 있다.

인간관계는 상호작용이다. 등산하고 외치면 메아리가 되어 되돌아오는 원리다. 상대를 인정하고 지지하는 마음을 표현한다면, 상대는 긍정적으로 변화하며, 그 영향력은 본인에게 좋은 방향으로 되돌아온다.

인간관계에선 좋았던 일보다는 안 좋은 일에 대한 기억이 생생하다. 타인에게 잘 못 했던 일이나 함부로 대해던 일이 더 생각난다. 누구나 다 이렇게 느끼며 산다. 따라서 의사소통은 경청하고 이해하는 게 제일이다. 행복한 인간관계는 지금 시작한다. 상대를 이해하는 마음을 헤아리는 거다. 말이 쉽지, 타인을 이해하는 마음을 헤아리는 건 인간관계의 핵심이다.

인간관계는 경청하고 인내하는 삶이다. 특히 가족의 관계는 좋은 말로 인정하는 거다. 힘이 되는 말은 인정하는 말, 격려하는 말, 지지하는 말이다. 좋은 말은 또 다른 지식이고, 삶의 지혜이다. 누구든지 인정받을 때 행복하다. 더욱 성숙해지고 성장한다.

말에는 힘이 있다. 격려하는 말, 지지하는 말, 인정하는 말을 한다면 더욱 성장하게 한다. 감사의 말은 더욱 행복하게 한다.

"사랑해, 고마워, 수고했어, 덕분이야, 잘될 거야~"
"감사합니다, 고맙습니다. 사랑합니다."
말 한마디에 가족의 사랑이 더욱 커진다.

세상을 살면서 전문 분야의 사람들로부터 배우며 지내는 게 지혜를 얻는 지름길이다. 스스로 성장하고 발전한다. 다양한 사람들과 협력하고 소통하고 존중하는 능력이 필요하다. 우리나라의 교육이념인 홍익인간이 떠오른다. 모든 사람이 사람답게 살아가는 세상이 되길 기대한다. 지속 가능한 세상을 위한 삶을 사는 게 홍익인간 삶이다.

③ 취미생활을 삶의 활력소이다

퇴직하면 무엇을 하면서 지내야 할까?

주어진 한가한 시간을 적절한 취미생활을 통해 삶의 만족도를 높이는 거다. 소일거리 찾거나, 좋아하는 일 잘하는 일 찾기, 봉사, 여가 활동, 여행, 레저, 취미활동도 한다.

취미는 내 삶을 윤택하게 할 뿐 아니라 단조로운 생활에 활력을 불어넣는 역할을 찾는다. 무기력해지고 삶의 의미를 잃을 수 있다면 이때 필요한 것이 취미다. 취미는 내 생활의 활력소이다. 노후의 다양한 취미생활은 삶의 활력소이며 힐링이다. 원기를 회복하고 생활에 큰 활력이 된다. 또한 스트레스를 완화하고 마음을 진정시킨다.

취미는 평범한 노후 내 삶의 돌파구이다. 취미생활, 여행, 운동, 요리, 지역 활동, 봉사활동, 취미활동, 재취업, 자기 계발이 중요하다. 혼자서 할 수 있는 취미가 최고라고 생각해도 좋다. 혼자라서 쑥스러워할 필요가 없다. 은퇴자의 일부는 외롭다고 한다. 외로움에 대비하려면 취미나 소일거리를 찾아야 한다. 일상 지루함과 고독하면 스스로 즐거움과 일을 찾아 나서야 한다. 대학 평생학습관, 도서관, 백화점의 강좌, 평생교육 아카데미 강좌, 지방자치단체의 평생학습관이나 주민센터 등을 노크한다. 시도하지 않으면 아무것도 이루어지지 않는다.

당신의 취미는 무엇입니까?

노후생활이 따로 정해진 게 없다. 먹고살기 바쁜데 취미활동을 할 시간이 있겠느냐 하겠지만 스스로 찾는다. 은퇴전문가는 퇴직 후 잘하는 일, 하고 싶은 일 하라고 권한다. 지금부터라도 따분한 일상의 탈출구를 찾아 취미를 선택해 틈틈이 활동하라고 권장한다. 내 삶에 여유를 갖고 행복을 만끽할 수 있다고 한다. 취미생활을 시작하면 삶이 소중하다는 걸 느낀다. 최소 비용으로 최대 효과를 얻을 수 있는 취미는 삶의 기쁨과 행복을 가져온다.

이제부터 취미를 마음껏 즐겨보자. 취미는 삶에 대한 새로운 의미를 부여하며 힐링의 기쁨을 안겨준다.

④ 만족하는 삶이다

은퇴 후 가장 큰 변화는 연금 생활을 하는 것이다. 퇴직 후 생활의 변화가 가장 크다. 연금으로 충분한 삶은 유지하는 경우가 많지는 않을 것이다. 퇴직 이후 소득이 줄어드는 만큼 소비를 줄여야 한다. 노후 자금이 부족하다면 해결 방법은 수준을 낮추는 방법이다. 지출은 수입에 따라 규모를 줄여야 한다. 한마디로 절약이다. 따라서, 절약을 통해 지출을 줄이는 것이 중요하다.

조선일보 머니 TV의 유튜브, 방현철 박사의 머니머니 유튜브 강좌에서 말했다. 최성환 전 소장은 베이비붐 세대는 100세 시대에 행복한 노후를 대비하기 위해 연금 장자가 되라고 한다. 또한 행복한 노후를 대비하는 데 필요한 '5자'가 있다고 했다. '5자'를 재미있게 표현하는 말이다.

중국 성현들인 공자, 맹자, 노자, 장자, 순자 등을 떠올리기 쉽다. 최 전 소장은 노후에 필요한 5자는 "놀자, 쓰자, 주자(베풀자), 웃자, 걷자"라며, 여기에 하나 더한다면 "속지 말자"라고 했다. [14]

---

14) 조선일보 머니 TV 방현철 박사의 머니머니 272화
https://www.youtube.com/watch?v=ouLAG8CB_7k

노후 자산관리는 중요하다. 인생 2막을 꿈꾸는 은퇴자도 경제활동을 하게 된다. 창업이나 재취업을 하고 경제적인 여유를 찾게 된다. 결국 재취업이 답이다. 하지만 재취업은 이직과 다르다. 재취업을 위해서 가장 필요한 것은 자신이 하고 싶은 일이 무엇인지 찾는 것이다. 재취업은 이직이 아니다. 시간을 두고 내가 정말 하고 싶은 일이 무엇인지 깊게 고민해 볼 필요가 있다. 꼭 전업하라는 의미는 아니다. 지금 하는 일에 충분한 의미 부여가 가능하다면, 같은 일 하는 것도 추천한다.

고령화 시대 퇴직 후 언제까지 살지 모른다. 은퇴 생활에 대한 기대치를 낮추고, 이를 받아들일 자세가 돼 있다면 인생 후반부의 삶은 전혀 고달프지 않다. 벼가 익을수록 고개를 숙이듯, 나이가 들수록 겸손할 필요가 있다. 퇴직 후 나이 들수록 외부 활동 점점 감소한다. 생활비 줄이고 삶의 균형을 찾는 일을 찾는다. 돈을 많이 벌어도 지출이 많으면 결국 남는 돈이 없다. 자산관리는 미리미리 하겠지만 노후 자금은 자식에게 손 벌리지 않을 정도로 충분하다면 다행이다.

퇴직 이후 물가가 상승하고 금리가 인상되면 어떻게 될까? 금융 지식도 필요하다. 연금 받는 삶이다. 여유 자금이 있다면 투자를 통해 자산을 늘리기 방법도 가능하다.

저축의 시대에서 투자의 시대이다.

돈을 모으는 건 "천 리 길도 한 걸음부터"이며, "티끌 모아 태산이다." 과거엔 금리가 높아 적금이 대세였다. 지금도 적금이나 저축, 이 목돈 마련의 기본이다. 노후대비를 위해 투자하는 개인형 연금 계좌(IRP)도 활용할 수 있다. 투자하려면 목돈이 필요하다. 목돈 마련은 돈을 아끼고 모으는게 비법이다. 목돈 마련되면 소비재를 구입하는 게 아니라 불리는 게 투자의 기본이다. 최근 부동산, 주식, 금융자산에 투자하는 비중이 늘어나고 있다.

투자 전문가들은 투자에도 원칙이 있다고 말한다. 장기투자, 분산투자라고 한다. 그렇다고 퇴직금을 당장 주식 코인에 투자하라는 건 절대 아니다. 노후를 위한 투자는 신중하게 판단해야 한다는 말이다.

⑤ 감사하는 삶이다

과거 KBS의 개그 프로그램의 "감사합니다"를 생각나게 한다. 국민에게 감사하는 마음을 준 즐거운 프로였다. 행복한 마음을 여는 열쇠이다. 다시 웃음을 주는 좋은 프로그램을 기대한다. 삶에서 일상을 감사하는 마음은 축복이다.

모든 것에 감사하는 마음으로 지내는 게 인생이다. 학생을 가르치며 보람과 만족을 느끼며, 이를 모아 글로 쓰니 수기가 되고, 함께 인생을 살아간다는 것은 참으로 행복한 일이다. 경험해 봐서 아는 사실이다. 늘 고맙고, 감사한 일이다.

인생 사는 것 자체가 감사한 일이다. 감사하며 사는 게 행복한 삶이라고 이야기한다. 내가 감사를 받았으면 감사는 누구에게나 있다. Give&Take 세상이 아니라 다른 데 감사를 표현하는 게 감사의 세상이 된다. 누구에게나 감사한 일이다. 깊은 생각이 감사를 불러온다. 자신에게 감사하는 것은 매우 중요하다. 모든 삶이 감사한 일이다. 대한민국 과거를 생각하면 지금의 상황은 선진국이다. 지속 가능한 행복한 나라를 위하여 감사하며 사는 삶이다. 감사합니다.

우리나라 속담이 생각난다. “가는 정이 있어야 오는 정이 있다”라는 속담이다. 사람 사이에서, 남에게 친절하게 대해야 그 사람도 친절하게 대해 준다는 말이다. 말이나 행동을 더욱 조심하게 된다. 세상을 살다 보니 내 마음 같지 않다. Give&Take 세상이 아니다. 자기 것을 기꺼이 주려고 하는 Giver가 세상 삶에 만족과 행복도가 높은 게 당연하다.

탈무드에 “세상에서 가장 지혜로운 사람은 배우는 자이고, 세상에서 가장 행복한 사람은 감사하는 자이다”라고 했다.

감사하는 마음과 행동은 지혜로운 자라는 의미다. 감사하는 자 세상에서 행복한 사람이라는 뜻이다. 감사의 마음 전한다. 감사하고 또 감사하라. 감사하면 감사할 일이 생겨난다.

감사할 줄 아는 마음이란 열린 마음이고 따뜻한 마음이다.

행복한 사람은, 아주 작은 감사라도 있는 사람이다. 감사는 사람의 가치를 높여준다. 감사할 줄 아는 사람이 세상을 아름답게 만든다. 감사는 사람들에게 보람과 만족을 준다.

“범사에 감사하는 삶”이 아주 귀중하고 아름다운 삶이다. “감사합니다”라고 표현하는 감사하는 마음, 감사하는 태도는 감탄할 일이다. 감사하게 생각하는 감사한 삶이 감사할 뿐이다. 감사합니다. 이는 듣기만 하여도 가슴 설레는 말이다. 늘 감사하는 마음을 갖자. 감사하는 마음은 근력이다.

100세 시대 롱런(Long Run)하기

웰빙과 웰다잉 시대이다. 웰빙(Well Being)의 시대엔 웰다잉(Well Dying)을 생각하는 시점이 되었다. 지금은 사람이 사람답게 늙는 웰에이징(Well Aging)을 생각하고 사는 시대이다. 누구나 다 태어나 성장하고, 성숙하게 되고, 성찰하는 삶이 인생이다. 나이가 들면 누구나 다 사고, 상해, 질병, 사망, 노후생활 등의 위험에 준비해야 한다. 웰에이징(Well Aging)은 누구에게나 공평하다.

내 인생 삶의 가치가 무엇일까?

웰에이징(Well Aging)을 위해서는, 타인과의 관계, 가족과의 관계에서 나 중심의 인간관계를 파악하는 삶이다. 일 년에 한 살은 공평하게 나이 먹는다. 나이를 먹는 게 자연의 순리이고, 나이만 먹는 게 아니라 제대로 늙어 어른이 되는 거다.

마하트마 간디는 "마치 내일 죽을 것처럼 살되, 영원히 살아갈 것처럼 배우라"고 했다. 이제는 평생 학습 시대이다. 배움에는 끝이 없고, 배울 수 있는 기한은 정해져 있다.

아프리카 격언에 "노인 한 명이 사라지면 도서관 하나가 사라지는 것과 같다"라고 한다. 노인은 삶의 모든 경험이 위대한 지식이며, 지혜로운 분이다. 과거나 현재나 삶의 가치는 크다. 국가와 사회는 존중받을 분이며 현명한 분으로 존경한다.

노인이란 누구인가?
사회에서 노인의 기준은 어떻게 되는가?

위키백과 사전에는 노인(老人)은 평균 수명에 이르렀거나 그 이상을 사는 사람으로 어르신이라고도 부른다. 노인(老人)을 해석해보자. 노인은 경험이 많다. 아는 게 많다. 노인(老人)은 노인(勞人)이 아니다. 그냥 노인(Know인(人))이다. 노인(老人)은 Know 인(人)이다.

노인이 가장 잘할 수 있는 일은 경험을 제공하는 것이다. 노인은 지식인이며 지혜로운 사람이다. 대한민국 노인천국을 기대한다. 노인은 후대에 지혜를 제공한다. 삶의 지혜와 경험을 가진 Know 인(人)이다. 한 걸음 한 걸음 걸어간다. 걷다 보면 동행이 나타나길 기대한다. 노인은 노인의 정신과 자세가 있다. 나이 먹은 사람은 노인십(Know 인(人) Ship)을 발휘해 보자. 노인이니 대접을 받으려고 할 게 아니라 삶의 지식과 지혜를 바르게 전해준다.

지금의 노인은 우리나라 근대와 현대 역사의 산증인이다. 노인은 가정, 사회, 국가에서 인정해 주고 존중해야 주어야 하는 어버이다. 노인은 지식인이다. 노인은 지혜로운 자이다. 나이가 많으니까 어른이고 노인(Know인(人))이다. 서로 사랑하고 사랑받고 사랑 나누는 노인(Know인(人))이 되길 바란다. 사람이 오랜 기간 살아가는 것은 어마어마한 일이다. 행복한 노인(Know인(人))이 즐겁게 사는 나라가 천국이다. 우리나라의 노인(Know인(人))을 사랑하자. 웰에이징(Well-Aging)은 웰빙(Well-Being)을 넘어 단순히 오래 사는 것이 아닌 건강하고 아름답게 늙어 간다는 뜻이다.

건강하게 잘 살려면 무엇이 필요할까?

정신 건강과 신체 건강이 필수다. "건강한 육체에 건전한 정신이 깃든다"라고 했다. 항상 몸을 튼튼히 유지하고, 긍정적이며 감사를 표하고 칭찬하는 일이다. 대한민국 노인천국이다. 노인천국(Know人 천국) 대한민국 노인 만만세!

지금 숨 쉬고 있는 이 순간이 얼마나 감사한 일인가!

일신우일신의 삶이다

행복은 그냥 주어지는 게 아니다. 나로부터 출발한다. 내가 하는 일에 열정과 사랑, 즐거움과 의미, 가치를 정하고 노력하고 사는 일이다. 내가 가장 잘하고 즐거운 게 있으면 이를 삶에서 행하는 일이 행복이다. 행복은 나를 찾는 게임이다. 내가 가진 것에 감사하는 기쁜 마음이다. 나를 사랑하고 꿈과 희망을 품으면 행복을 내가 만드는 것이다. 내가 가진 마음을 찾는 내 마음이다. 내 마음에 집중하며 삶의 의미를 생각한다.

헬렌 켈러의 말이다. “세상은 고통받는 이들로 넘쳐나지만, 고통을 극복하는 이들 또한 세상에 가득하다.”. 삶에 누구나 다 힘든 일, 고통스러운 일, 괴로운 일, 즐거운 일 다 일어난다. 이 또한 다 지나가리라. 이 일 또한 지나고 보면 다 좋은 일이 된다. 당시에는 너무나 힘들지만 극복하고 지나면 세상을 보는 눈이 달라진다.

고생 총량의 법칙이 있다. "사람이 일생을 살아가면서 겪는 고생의 총량은 그 시기가 다를 뿐 누구나 같다"라는 법칙이다. 누구나 살다 보면 참고 견디지 못할 만큼 삶이 힘들 때가 있다. 왜 나한테 이런 일이…. 인생사 다 거기서 거기다. 누군가와 비교하다 보면 큰 차이를 느끼겠지만 고생 총량의 법칙으로 보면 오십보백보다. 시간은 공평하게 주어지는 내 삶이다. 이제 시작이라 생각하고 지금부터 더 나은 내가 되도록 배우는 게 최선이다.

"고생 총량의 법칙"은 고진감래를 기대한다. 퇴직 전엔 일하느라 고생 많이 했으니, 이제는 고생할 필요는 없다. 좋아하는 일을 즐기는 일이다. 인생에서 주어진 시간은 누구에게나 공평하다. 자신이 좋아하는 일, 자신을 위하는 일을 하며 좋은 삶이 되는 것은 선택한다. 이기주의와 이타주의 균형이 필요한 시대이다. 세상을 위한 진정한 가치를 찾는 것이 필요하다.

푸시킨은 "삶이 그대를 속일지라도 슬퍼하거나 노하지 말라, 슬픈 날을 참고 견디면 즐거운 날이 오고야 말리라" 했다. 이 모든 것을 고진감래(苦盡甘來)라는 말로 희망을 이야기한다. "이 또한 다 지나간다"라는 말이 또다시 생각난다.

괴테가 말하기를 “꿈을 계속 간직하고 있으면, 반드시 실현할 때가 온다.”라고 했다. 꿈은 소중하다. 내가 달성하고 싶은 꿈을 생각하고, 꿈이 이루어지는 상상을 해본다. 꿈은 이루어진다. 누구나 다 때가 있다. 인생에서 꿈을 꾸고 도전하는 삶의 의미이다. 성공과 실패의 가치를 알아보며, 도전하는 삶의 자세와 정신의 중요한 의미를 살펴본다.

일신우일신(日新又日新)은 ‘나날이 새롭고 또 날이 갈수록 새로워진다.’라는 뜻이다. 어제보다 좀 더 나은 삶을 살자고 해석한다. 새로움에 관심을 두고 실천하는 것은 기쁨이자 행복이다. 지금의 나는 어제보다 더 나은 나다움이다. 지금의 나는 내일의 새로운 나를 위하여 열심히 한다. 더욱더 나은 사람이 되어가는 것이 저절로 되는 게 아니다. 내 의지와 노력이 필요하다. 쉽지는 않은 일을 해내는 내가 자랑스럽다.

일신우일신(日新又日新)이야말로 지향해야 할 삶의 모습이 아닐까?

도전하는 삶은 아름답다. 도전하는 삶의 노력에 관한 내용이다. 꿈꾸고 도전하는 삶의 방향과 길을 제시한다. 도전은 실천하는 삶이다. 나이가 들어도 새로운 시도는 필요하다. 새로운 꿈은 흥미, 취미를 갖는 일이다. 능력 있다면 자격증을 취득하는 일이다. 허황한 꿈이나 일확천금은 이제 절대로 금할 일이다.

인생 후반전이다. 뭔가를 해야 여생이 즐겁다. 블로그, 유튜브, 글쓰기, 봉사활동, 강의, 운동, 취미, 특기, 골프, 미술, 등산 ….

새로운 도전보다는 내가 잘하는 일 장점을 찾는 일이다. 도전하는 삶은 아름답다. 도전은 즐거움이요, 성취하면 뿌듯함인 삶이다. 일상이 행복해지는 삶이다. 무모한 도전보다는 좋아서 하는 일이 더욱 아름답다.

매슬로 5단계 욕구 이론이다. 매슬로는 인간의 욕구(欲求)가 그 중요도별로 5단계를 형성한다는 동기 이론이다.

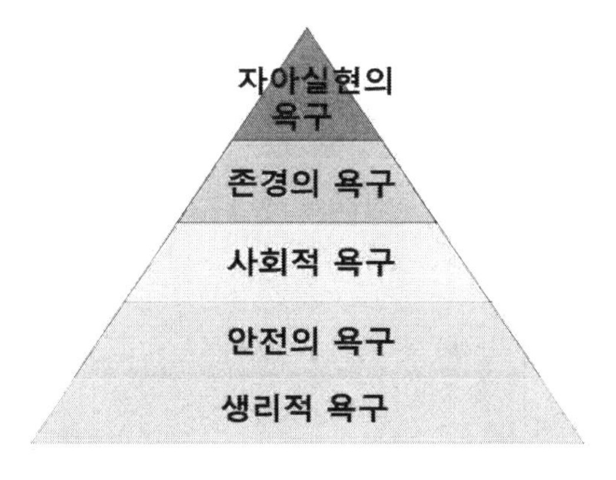

매슬로(Maslow)는 “욕구 5단계”설에 따라 인간의 욕구는 “생리적 욕구부터 시작하여 안전의 욕구, 사회적 욕구, 존경의 욕구, 그리고 자아실현의 욕구 순으로 점차 고차원의 욕구로 진행된다”라고 설명했다.

생리적 욕구는, 허기를 면하고 생명을 유지하려는 욕구로 가장 기본인 의복, 음식, 주택을 향한 욕구에서 성욕까지를 포함한다.

안전의 욕구는, 생리 욕구가 충족되고서 나타나는 욕구로서 위험, 위협, 박탈에서 자신을 보호하고 불안을 회피하려는 욕구이다.

사회적 애정·소속 욕구는, 가족, 친구, 친척 등과 친교를 맺고 원하는 집단에 귀속되고 싶어 하는 욕구이다.

존중의 욕구는, 사람들과 친하게 지내고 싶은 인간의 기초가 되는 욕구이다. 자아 존중, 자신감, 성취, 존중, 존경 등에 관한 욕구가 여기에 속한다.

자아실현 욕구는, 자기를 계속 발전하게 하고자 자기 잠재력을 최대한 발휘하려는 욕구이다.

다른 욕구와 달리 욕구가 충족될수록 더욱 증대되는 경향을 보여 "성장 욕구"라고 하기도 한다. 알고 이해하려는 인지 욕구나 심미 욕구 등이 여기에 포함된다.[15]

---

15) 위키백과 사전
https://ko.wikipedia.org/wiki/매슬로의 욕구단계설

내 삶은 위대한 것이다.

내가 욕구를 이루는 것이다. 나를 표출하고, 과시하며 관심을 받고자 하는 게 사람의 욕구다.

은퇴자 대상 프로그램에 참여하여 배우고 자아실현 하는 노후는 아름답다. 새로운 것을 시도하기에 늦은 나이는 없다. 명예, 지위, 자부심, 자존감 등이 존경의 욕구와 자아실현 욕구가 있다. 특히 삶의 가치를 초월하는 자아실현 이상의 자기 초월 욕구는 자신의 완성을 넘어서 타인, 세계에 공헌하는 욕구를 뜻한다.

꿈을 꾸고, 꿈을 이루는 자아실현의 욕구를 위하는 길이다. 정신적인 만족이 크다. 스스로 가장 만족한, 가장 충만한 상태를 유지할 수 있는 것이 바로 자아실현의 단계이다. 자아실현은 자신이 인정하는 최고의 행복 상태이다.

내 인생을 기록하는 삶이다

지금까지 앞만 보고 달려온 삶이다.

퇴직하기까지 누구나 다 바쁘게 살았다. 퇴직은 살아온 전반전의 회상이요, 인생 후반전의 시작이다. 이제 퇴직하니 시간은 많고 할 일은 없다. 차분하게 지나온 삶을 되새겨 본다. 누군가는 보람차고 만족하는 삶이라고 말할 수도 있겠다. 인생의 의미와 깨달음을 얻게 된다고 말한다.

새로운 삶을 준비하는 후반전에 자서전을 쓰는 것은 가치 있는 일이다. 자서전은 자기 자신의 인생을 엮어서 책으로 낸 것이다. 내 인생사에 많은 주제가 담긴 이야기다. 솔직한 내용을 담는 것으로 누구나 쓸 수 있다.

내 삶을 돌아보며 내 마음대로 생각해서 작성하는 글이다. 중요한 순간 글을 쓰면서 남은 인생에 의미를 부여하고, 나아갈 방향을 설정하며 쓰면 된다. 내 마음을 열고 가슴에서 흘러나오는 글을 쓰는 일이다. 누구나 다 할 수 있지만, 아무나 쓰지는 않는 게 자서전이다. 내 경험을 쓰는 데 어떤 걸림돌도 없다. 인생에 대해 돌아보면 어떠한 경우엔 행복하고 슬펐던 경험이다.

또한 글쓰기는 인생 삶의 의미와 깨달음을 얻는 지름길이다. 따뜻하게 하는 마음의 변화가 시작하는 게 생각이요, 생각을 실천하는 게 행동이다. 내 삶을 기록하는 거다. 내가 체험한 일 중에서 가치 있다고 생각하는 것을 골라서 한 권의 책으로 내는 일이다. 누구나 생각만 할 뿐, 시도조차 못 하는 게 대부분이다. 자서전 쓰기는 특별한 제약도 없고, 조건도 따지지 않는다. 일상에서 조금씩 쓰면 된다. 분량과 내용을 계획해서 목표를 세우고 작성해도 좋다. A4용지 100장 정도 작성하면 1권의 책이 된다. 자서전을 쓰고 책 만드는 경험을 하길 기대한다.

도서 『누구나 글쓰고 작가 되는 비법』 과

『자서전 쓰기 길라잡이』 책에는 글을 쓰는 요령과 방법, 특히 무료로 내 책 만들기 방법에 대해 구체적으로 제시됐다.

정약용은 ‘2012년 유네스코 세계 기념 인물’로 장 자크 루소와 헤르만 헤세가 함께 선정됐다.

다산 정약용(1762~1836)은 조선 시대 가장 많은 책을 저술한 인물로 알려져 있다. 18년의 유배 기간 《목민심서》 《흠흠신서》 《경세유표》 등을 저술하였으며, 500권의 책을 쓰셨다. “군자가 책을 써서 전하는 것은 단 한 사람이라도 그를 알아주는 사람을 구하기 위해서이다,”라고 말씀하셨다. 이런 심정으로 글쓰기에 도전하고 지금도 글을 쓰고 있다. 누군가 읽어보고 알게 된다면 내 마음은 만족이다.

“나는 생각한다. 고로 존재한다.”라는 데카르트가 한 말이다. 지금 다시 생각한다. 지금부터 다시 시작이다. 도전하겠다고 다짐한다. 다짐하고 또 도전한다. 유명한 사람들에 비해 조족지혈이지만 끝까지 가려는 마음가짐이다.

100세 시대에 오래 활동한다면 행복한 인생이다. 과거에서 벗어나 유유자적한 삶의 길을 가고 싶다. 기억은 사라지지만 기록은 남는다. 내 인생을 기록한다는 생각이 글쓰기를 시작할 수 있다. 지금부터 글을 쓰면 내 자서전을 만들 수 있게 된다. 글을 쓰면 자서전 한 권의 책이 된다. 내 인생을 기록한 한 권의 책은 내 역사이다.

기본이 바로서야

기본이 바로 서야 가정이 바로 서고,

가정이 바로 서면 학교가 바로 선다.

학교가 바로 서야 사회가 바로 서고,

사회가 바로 서면 국가가 바로 선다.

4부

행복한 내 인생
감사하는 삶이다

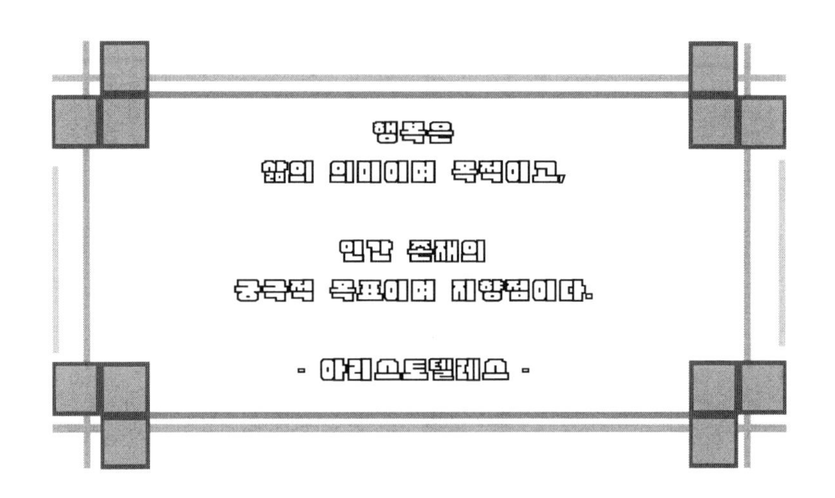
행복은
삶의 의미이며 목적이고,
인간 존재의
궁극적 목표이며 지향점이다.
- 아리스토텔레스 -

4부 행복한 내 인생

누구나 다 행복한 인생을 꿈꾸며 살아간다.

교사는 단순한 지식 전달자가 아니라 미래 세상으로 안내하는 미래 안내자이다. 미래를 꿈꾸며 변화하도록 이끄는 지도자이다. 교수법과 생활지도 방법도 중요하지만, 사회의 변화에 관심을 가져야 한다. 지금도 세상은 변화한다. 뉴스와 신문의 현실 문제에 대해 고민하는 교사는 매우 많다. 교사는 미래 시민을 올바르게 가르치는 미래 개척자이다.

공자는 "지혜로운 사람이 되려면 자주 변화해야 한다"라고 한다. 세상의 모든 것은 변하는 게 진리다. 내가 변하고, 변화를 인정하고 항상 준비하는 것이다. 어제가 오늘과 같다면, 내일은 오늘과 같다. 내가 변하면 모든 것이 변한다. 정치·경제·사회·문화·예술·환경 등을 살펴야 한다. 변화를 선도하는 것이다.

나를 중심으로 세상을 보고 생각하는 폭넓은 시야를 갖춘 선구자 되면 이떨까?

지금까지 나이 먹고 깨달은 건 삶에 정답은 없다는 사실이다. 다만 생로병사의 과정은 시간과 관계없이 공평하게 주어진다는 것이다.

인생은 '공수래 공수거(空手來 空手去)'이다.

빈손으로 왔다가 빈손으로 간다는 의미다. 인생의 무상과 허무를 나타내는 뜻도 포함된다. 누구나 뜬구름과 같은 것이다. 마음을 찾는 공부에 노력하라는 가르침으로도 해석한다.

오직 한 번뿐인 인생 살아 있는 동안은 살맛이 나야 한다. 사람은 살맛이 날 때 행복하다. 행복은 내가 원하는 것을 얻었을 때 행복을 느낀다.

어떻게 사는 게 살맛 나는 세상일까?

행복은 어떻게 찾을까?

행복한 삶은 세상 변화에 적응하며, 세상에 이바지하는 삶이다. 지금까지 삶이 모두 감사하는 삶이다. 삶의 지혜는 배워서 앎이요, 이를 행함이 사명이다. 성찰하는 깨달음은 행복한 삶이다. 행복한 내 인생 지금부터 시작이다.

오늘이 가장 젊은 날

행복은 바로 내 곁에 있다.

이제부터 행복해질 방법을 실천할 때이다. 인생의 생로병사는 정해진 일이다. 그러나 지금 내 나이를 생각하면 어린 게 아니지만, 꽤 많다고 할 수도 없다. 인생을 24시간으로 구분한다면 아직 많은 시간이 남아있다. 오늘이 내 남은 인생의 가장 젊은 날이다. 인생의 후반기 첫날이며 시작이다.

젊었을 때부터 취미와 특기를 가지고 전문성을 발휘한다면 더욱 바랄 게 없다. 배움을 즐기는 일이다. 취미는 나이가 들어서 준비하기보다는 미리 준비하면 노후에 일을 이어 나갈 수 있겠다. 평생 할 수 있는 취미나 특기는 비법이 쌓이게 되기 때문의 노후에도 자랑스럽다. 고령화 시대엔 하고 싶은 분야의 지식과 자격은 필수이다. 세상에 공헌하며 평생 할 수 있는 자신만의 특기다.

내가 가진 특기는 좀 더 행복한 삶을 가져다준다. 행복한 삶을 원한다면 취미나 특기는 소중하다. 좀 더 이바지하는 삶을 살게 된다.

이제는 더 자유로워질 필요가 있다.

나 스스로 편하게 대하며 살아가는 일이다, 이제는 많은 시간을 가지고 내가 나와 대화하는 시간이다. 과거를 생각하니 그땐 힘들고 고되고, 어려웠지만 덕분에 더 열심히 살고 지금은 잘 되었다. 지금까지 수고 많았다. 이제는 이모작 출발 아니겠는가.

건강을 유지하면서 제2의 인생을 사는가다. 행복하게 사는 여생이 남아 있다. 지금 거울을 보면 어떤 느낌일까 궁금하다. 젊어 보이는가. 아무리 애쓴다고 하더라도 가는 세월 누가 잡겠는가. 마음을 젊게 하려고 바꾸려는 노력보다 외모를 바꾸려는 모습이 다반사다. 성형이나 약물에 의존해서 내 마음이 더 좋아진다면 그나마 다행이다.

오래 산다면 축복받는 인생이다. 얼마나 건강하게 살 수 있는지도 모른다. 지금까지 나름대로 최선을 다하며 살아온 삶을 되돌아보며 사는 일이 남아 있다. 퇴직 후는 인생 이모작을 하는 시기이다. 100세 시대에 젊은 마음가짐으로 사는 오늘이 가장 젊은 날이다.

행복은 지금 이순간

100세 시대 새로운 미래 도전에는 끝이 없다. 그냥 취미생활 하면서 나름대로 보람 있게 생활하시는 퇴직자들도 계시고, 봉사활동에 보람을 느끼는 분들도 계시고, 다시 일을 시작하시는 분들도 많을 것이다. 무엇이 행복한 삶인지는 잘 모른다. 사람마다 가치관이 다르고, 개인별 처한 삶의 상황이 다르기 때문이다.

미국의 하버드대학교 길버트 교수의 연구 결과에 의하면, "연 수입 9만 달러까지는 수입이 높아질수록 행복감이 높아진다. 그러다 그 이상을 넘어서면 별 차이가 없었다"라고 한다.

"가령 소득이 5만 달러 이상인 사람은 2만 달러 이하인 사람보다 2배 정도 행복감을 느끼지만, 소득 20만 달러 이상의 사람과 10만 달러 사람이 느끼는 행복감은 비슷했다." 라고 발표했다. 일정 이상의 경제적 상황은 행복을 더욱 높여주지 못한다. 행복도를 높이는 건 내 마음가짐이다.

오늘도 Don't Worry, Be Happy!

코카콜라사의 더글러스 대프트 회장은 인생을 공중에서 5개의 공을 돌리는 저글링에 비유했다. “각각의 공은 일, 가족, 건강, 친구, 그리고 영혼(나, 마음, 정신)이다.”

우리는 각자 이 5개의 공을 공중에서 돌리고 있다. 조만간 당신은, 일이라는 공은 고무공이어서 떨어뜨리더라도 바로 튀어 오른다는 사실을 알게 될 것이다. 그러나 다른 4개의 공은 유리로 되어 있다. 이 중 하나라도 떨어뜨리면 공들은 상처 입고, 긁히고, 깨지고 흩어져 버려 다시는 전과 같이 될 수 없다. 인생에서 이 5개의 공이 균형을 유지하도록 노력해야 한다는 교훈이다. 가족 간 용건 없어도 자주 전화한다면 좋은 일이다. 퇴직 후 내 마음대로 살고 싶지만, 뜻대로 되지 않는 것이 인생사이다. 누구나 평탄하지 않은 삶을 살았다고 할 수 있다. 뭐 도와줄 거 없을까 열린 마음의 자세가 필요하다.

누구나 다 때가 있다. 영어단어 present는, 지금(right now)이라는 뜻이며, 선물(gift)이라는 뜻이다. 과거는 추억이고, 현재는 지금이요, 선물이다. 지금, 이 순간이 인생에서 가장 귀한 선물이다.

꿈 너머 꿈을 꾸는 인생

웰빙(Well Being)의 시대이다.

웰빙이 새로운 삶의 방식으로 주목받고 있다. 국립국어원은 웰빙을 순우리말로 공모하여 참살이로 했다. 웰빙(Well Being)은 참살이라고 부른다. 웰빙은 참살이고, 참살이는 웰빙이다.

웰빙(Well Being), 넓게 정의하면, "행복, 삶의 만족, 질병 없는 상태"를 모두 포괄한다. "복지, 안녕, 행복"이라는 사전적 의미다. 최근에는 "육체적인 질병뿐 아니라 정신적으로, 사회적으로도 질병이 없는 삶"을 의미한다.[16]

꿈을 이룬 그대에게 지금 원하는 게 무엇인가?

어떻게 사는 것이 잘사는 것인가?

이제 무엇을 할 것인가?

꿈 너머 꿈을 이루는 삶은 꿈을 이룬 다음에 하는 웰빙의 삶이다. 오늘 하루하루 잘사는 것이 행복하게 사는 것이다.

꿈을 이룬 사람은 행복을 느끼며 살 것이다. 또한 명성이

---

16) 나무위키 웰빙
https://namu.wiki/w/웰빙

나 훌륭함을 인정받게 된다. 인생은 끝날 때까지 끝난 게 아니다. 이후에도 이름으로 남는다. 세상에 공헌하는 위인은 존경하거나 위대한 사람이 된다.

스티브 잡스의 말 "죽음이란 삶이 만들어 낸 최고의 발명품"이라고 했다. 깨달음으로 웰다잉(Well Dying)도 생각할 때이다. 삶은 내 인생이다. 태어나 살면서 삶의 진정한 가치를 찾는 것이 필요하다. 일상적인 재미와 행복을 주는 것은 노는 것, 공부하는 것, 일하는 것, 맛있는 거 먹는 것, 여행하는 것, 베푸는 것이라 여긴다.

누군가 "일을 피할 수 없으면 즐겨라."라고 한다. 놀이는 즐겁고 신나고 재미있는 일이다. 인생을 늘 여가처럼 즐겁게 지낼 수는 없다. 삶의 현장 하는 일이 힘들거나 괴로운 때도 있다. 요즘엔 몸과 마음을 다스리는 데 집중한다. 아름다운 인생을 살아가고자 하는 새로운 마음가짐이다. 물질적 풍요의 한계를 느끼며 정신적 여유와 안정을 바란다. 이게 바로 참살이다. 참살이는 참된 삶, 정직한 삶을 뜻한다.

100세 이상을 사는 장수 시대이다. 인생길은 매우 다양하다. 꾸준한 즐거움을 주는 일을 찾아야 한다. 만나면 즐거운 친구도 있지만, 만나지 않으면 보고 싶은 게 우리네 삶이다.

지금부터라도 오늘을 즐겁게 살고 다른 사람을 위한다면 아름다운 삶이다. 인간적 가치는 가족과 친구, 사랑을 들 수 있겠다. 사람은 사랑이 제일이다. 특히 인간의 사랑은 아름다움이다. 사랑을 더 할수록 더욱 아름다운 삶이 될 것이다. 아름다움은 내 마음에 있다. 음악과 예술은 다양한 방식으로 내 마음에 영향을 미칠 수 있다. 오감 만족하는 행복한 삶이다.

나이를 먹었다고 꿈은 멈추지 않는다. 꿈을 꾸고 꿈을 이루고, 꿈을 이루었으면 꿈 너머 꿈을 다시 찾는 게 도전하는 꿈 너머 꿈이다. 퇴직은 내 세상이다. 딱히 좋은 점은 할 수 있는 일을 마음껏 즐길 필요가 있다. 외롭기도 하지만 자유롭고 여유롭게 지내는 아름다운 삶이다.

이제 무엇을 할 것인가?

세상을 향한 삶, 세상에 이바지하는 삶은 예술이다. 행복은 나눌수록 커진다.

"인생은 짧고 예술은 길다"라고 한 이유를 깨닫는다.

감사하는 마음은 삶의 지혜다

아름답게 사는 삶이란 무엇일까?

어떻게 사는 것이 잘사는 것일까?

어떻게 사는 것이 지혜로운 삶일까?

난 잘 모른다. 그러나 인류의 성인(聖人)인 예수, 석가, 공자 등 위인들은 같은 말씀을 하셨다. 사랑하라", "베풀어라.", "봉사하라", "나누어라."…. 공통적인 말이 한결같다. 다른 사람을 행복해지도록 도와주면 행복은 더욱 커진다고 한다.

슈바이처는 "자신의 일을 진심으로 사랑하는 사람이라면 그는 이미 성공한 사람이다. 가장 행복한 사람으로 찬양 받을 만한 사람은 가장 많은 사람을 행복하게 해준 사람이다."라고 한다.

행복한 인생이란 무엇일까?

링컨은 "인간은 행복해지기로 마음먹은 만큼 행복해질 수 있다."라고 했다. 행복의 기준은 지극히 주관적이고 심리적인 영역이기에 사람들마다 다르다. 행복을 추구하는 삶도 중요하지만, 지금 내가 행복하다는 마음가짐으로 사는 게 행복이다.

인생의 진정한 가치를 찾는 것이 필요하다. 행복은 나눌수록 커지고 슬픔은 나눌수록 작아진다는 말이 있다. 같이하는 삶이 가치가 크다. 함께하는 동행하는 삶이다. "동행"이라는 가사가 생각난다.

누가 나와 같이 함께, 울어 줄 사람 있나요.
누가 나와 같이 함께, 따뜻한 동행이 될까…

처칠은 "모든 역경에서 기회를 본다"라고 했다. 역경은 정말 힘든 고통이다. 역경은 지나면 기회가 된다. 역경의 마음가짐은 긍정적인 자세와 태도이다. 적극적인 사고와 긍정적인 태도는 역경을 극복하게 하며, 성공에 이르는 지름길이 된다. 살아보니 역경은 삶의 보약이다.

채플린은 고생을 많이 했던 연극배우다. "인생은 가까이서 보면 비극이지만, 멀리서 보면 희극이다."라고 했다. 우리 삶은 마음대로 되지 않는다. 그렇지만 살다 보면 이런 일 저런 일을 겪게 되는 게 인생사다. 역경은 결국 지나고 성공이 다가오는 디딤돌이 된다는 의미다. 누구나 세상을 살다 보면 힘든 일이 있다. 이를 극복하며 사는 게 인생이다. 지금 고통이 지나갈 때까지 버티고 견디는 것이다. 역경은 버티는 게 약이다. 이 또한 다 지나가리.

고생 끝에 낙이 온다고 하지 않던가?

퇴직은 가치 있고 아름다운 삶이 아니겠는가?

마음먹기에 따라 모든 걸 잘 극복할 수 있다. 멋진 세상 나답게 사는 것이다. 지금까지 이 모든 게 추억이고 기쁨이고 보람이고 만족이 된다. 만족하는 삶이 성공적인 인생이요, 성공적인 삶의 길은 무한하다. 행복한 삶은 나 스스로 만드는 것이다. 이 세상에 태어나 이바지하는 행복한 삶을 사는 거다.

내 꿈을 이루고, 내 꿈을 행하면서 꿈 너머 꿈을 꾸는 삶을 희망하는 것이다.

감사합니다

"감사합니다"

어디서 들리는 것 같다. 감사는 인간다운 미덕이다. 감사는 사람의 됨됨이를 알 수 있다. 감사하는 마음만으로 충분하기도 하다. 또한 "감사합니다"로 표현하면 더욱 기쁘다. 감사하는 마음은 감동을 주고, 감동을 주면 감격하게 하는 일이다. 감사하는 마음은 감격을 표현한다. 감사는 일상의 스트레스를 이길 수 있는 활력소이며 보약이다. 감사는 인성의 출발점이요, 따뜻한 마음의 표현이다. 인생 후반부 지금 감사하는 일이다. 세상 모든 일에 감사하고, 매일매일 감사로 넘치게 산다면 감사한 일이다.

지그 지글러는 "나는 감사할 줄 모르면서 행복한 사람을 한 번도 만나보지 못했다."라고 말한다. 내가 행복하려면 나부터 감사한 마음으로 생활하면 된다. 가르칠 기회에 감사하고 가르치는 행동하는 일에 감사하는 것이다. 감사하는 말은 언제 들어도 좋은 말이다. 감사하면 감사할 일이 생긴다.

그동안 인생을 살면서 주변 사람들 덕분에 많은 도움을 받고 살았다. 내가 남들에게 받았던 것처럼 나도 누군가에게 보답하는 방법을 생각하게 된다. 이제는 감사한 일 보답해야 하는 데 무엇으로 보답하지….

글을 써서 감사를 전하고 싶은 마음뿐이다. 고맙고 감사한 일이 모두 생각난다. 다시 한번 "감사합니다, 고맙습니다" 감사 인사를 드립니다.

감사하는 마음은 늘 간직하며 살고 싶다. 누가 나 대신해 주는 것은 없다. 세상에서 삶의 방법은 내 마음먹기 나름이다. 인생 사는 것 자체가 감사한 일이고, 감사하며 사는 게 행복한 삶이라고 이야기한다. 감사하는 힘이 곧 행복이다. 감사는 감동하는 일이며, 감동은 감탄하는 일이며, 감탄은 감격하는 삶이다.

삶을 긍정적으로 생각하면 인간관계 마음 상할 일 없다. 힘들면 스스로 잘 이겨낼 수 있는 방법을 찾아서 행하는 게 제일이다. 인생을 마음껏 즐기자. 내일을 살아가는 힘을 기르자. 내 마음은 내가 변하는 거다. 내 마음이 따뜻해지려면 마음은 먹기에 달려있다. 마음은 비워야 채워진다고 한다.

내 인생의 주인공은 나다. 나를 사랑하고 나를 존중하는 내 마음이 중요하다. 마음이 따뜻한 사람은 세상의 모든 것을 따뜻한 마음으로 본다. 상대방을 있는 그대로 존중해 줄 수 있는 사람이 마음이 따뜻한 사람이다. 따뜻한 사람은 자신이 가지고 있는 것을 나누어 주려는 사람이다. 따뜻한 마음은 우리의 인간관계와 사회를 아름답고 풍성하게 한다.

넌 센스 퀴즈이다. 정답은 네 글자이다.

이 세상에서 제일 먹기 힘든 것은?

ㅁ ㅇ ㅁ ㄱ (   )

삶은 선물이다

아리스토텔레스는 "사람은 사회적 동물이다."라고 했다.

개인이 모여 친구가 된다. 남녀가 모여 가족이 되고 가족이 모여 사회를 이룬다. 개인은 다른 사람과 관계를 맺으며 살아간다. 사회 없이는 존재할 수 없다. 주변의 모든 사람과 함께 이루는 게 사회이다. 이 세상에서 가족과 사회의 관계 속에서 사는 게 인간의 삶이다. 직장에서 은퇴해도 계속 세상에서 지내야 하는 이유다.

김수환 추기경께서 "감사하다. 서로 사랑해라"라는 말씀으로 유명하다. 사랑과 나눔을 실천으로 말과 행동에 삶의 큰 깨달음을 얻는다. 나눔과 배려는 감사와 감동을 주는 삶이다. 사랑과 따뜻한 마음이 행복을 좌우한다. 행복은 사람을 위한 가치 있는 일을 할 때 보상한다. 희생과 봉사는 사회에 영향력을 끼치는 삶이다. 헌신과 열정은 믿음과 신뢰를 주는 삶이다. 가치 있는 삶을 실천하는 길은 사랑이다. 따뜻하고 부드러운 마음을 품고 살고 싶다. 인생은 마음먹기에 따라 모든 것이 결정된다고 전한다.

세상에서 가장 소중한 게 뭐냐고 묻는다면 대답이 궁금하다. 마음속에 무엇을 소중하게 생각하고 간직하며 살았는가가 중요하다. 오늘보다 소중한 날이 또 있을까. 정말로 중요한 것과 중요하지 않은 것이 무엇인지 생각해 본다.

대부분 먹고사는 데 정신이 팔려 삶의 의미를 모르는 채 살고 있다. 삶에 주어진 기회는 딱 한 번뿐이다. 오래 살았다고 잘 살고, 병 없이 살았다고 행복한 것이 아니다. 대부분 사명감과 책임감으로 열심히 산다. 대부분 어떤 일을 하든지 그 일을 잘 해내려는 마음이나 자세로 지낸다.

겸손한 태도, 긍정적인 태도, 적극적인 태도, 정직한 태도, 성실한 태도이다. 삶에서 해답이 보이지 않는다고 해서 좌절하지 마라. 결국은 내 태도에 따라 세상은 밝다. 모든 것은 마음먹기에 달려있다. 내가 할 수 있는 것을 찾아서 한다.

가치 있는 삶이란 어떤 삶일까?

소크라테스는 이 질문에 "자신의 삶에 대해 성찰할 수 있어야 한다"라고 말한다. 누구나 삶을 반성하지는 않는다. 만족하며 사는 경우도 많다. 가장 행복했던 순간은 언제인가요? 묻는다면 사람마다 행복의 순간과 행복의 조건은 다르다.

나는 누구인가?

나는 무엇을 하며 살까?

나는 왜 그렇게 하는 것일까?

나 이제 어떻게 살까?

나는 더 잘할 수는 없을까?

나는 더 나은 행동 어떻게 할까?

타인을 존중하면서도 나를 사랑하는 멋진 사람이 되도록 노력하자. 행복은 나눌수록 커지고 슬픔은 나눌수록 작아진다는 말처럼 된다. 혼자 감당해야 할 일은 점점 늘어간다.사는 게 행복이고 기쁨이라 생각하고 사는 마음이 제일이다. 가족을 사랑하는 마음으로 이웃과 세상을 사랑하면 행복한 삶이다. 삶에서 만족하며 사는 게 행복이다. 정신적인 가치와 봉사, 삶의 지혜를 나누는 일이 행복이다. 삶의 깨달음을 얻는다면 보물을 찾은 것이다.

나도 즐겁고 주변 사람들도 즐거운 일을 하며, 내가 가진 것을 이웃에 나눠주며 사는 것이 가치 있는 인생이라는 가르침이다. 직장에서 또는 가정에서 누군가 나의 도움이 필요할 때 외면하지 않고 나의 이익보다는 타인의 이익에 공헌하는 삶을 살고자 노력하려고 한다. 세상에 이바지하는 삶이라면 더 바랄 게 없다. 행함의 깨달음을 얻는다면 축복이다.

시간은 가고 세월은 흘러가는 게 자연의 이치이다. 모든 게 감사한 일이다. 자신만의 삶의 목적을 사는 것이다. 더 멋있게 사는 일, 더 가치 있게 사는 일, 더 보람차게 사는 일, 더 아름답게 사는 일이 남아 있다.

잘하는 게 무엇이고, 잘할 수 있는 일은 무엇인가?

잘하는 일의 기준은 평가할 수 없지만, 내가 잘 안다. 마냥 즐겁고 재미있는 일이다. 그저 뿌듯하고 신나는 일이다. 내가 어떤 분야에서 열심히 살고 있고 이를 베푸는 게 행복이다. 내가 잘하는 일로 남을 이롭게 하는 게 홍익인간의 삶이다. 남을 이롭게 행동하는 일. 이는 남에게 피해를 주지 않는 일도 포함한다. 취미든 재능이든 상관없다. 다만 잘한다고 생각하는 일로 남을 돕는다면 내가 행복하고 남도 행복할 것이다. 그 재능을 다른 사람과 나눔 행사를 한다면 그것이 행복이다.

오래 사는 게 목적인가, 제대로 사는 게 목적인가?

누구나 죽음에 관해 두렵다. 죽음이라는 건 겁나고, 무서운 일이다. 불안한 건 누구나 마찬가지다. 다만 이게 내일이 아니라고 생각하고 산다. 지금 그렇다고 미래를 생각해 안달

하지 않기를 바랍니다. 누구나 다 때가 있으니, 좋아하는 일, 잘하는 일, 하고 싶은 일을 찾아서 즐겁고 행복하게 지내길 바란다.

아프리카 속담에 “노인 한 사람이 죽으면 도서관 하나가 불타는 것과 같다”라는 말이 있다. 노인은 인생을 열심히 살아온 어른이다. 노인(老人)은 Know 인(人)이다. 경험은 인생의 스승이라고 한다. 한 사람의 인생사는 한 편의 영화이고, 역사이고, 지혜를 이어받을 보물이다.

한비자는 “삼류 리더는 자기 능력을 사용하고, 이류는 남의 힘을, 그리고 일류는 남의 지혜를 사용한다.”라고 전한다. 노인은 지혜보따리이다. 삶에서 노인의 경험과 지식, 지혜는 도서관의 많은 책과 같은 가치를 지닌다.

지금의 위치에서 세상을 아름답게 보고, 세상에 이바지하는 삶이 지혜다. 나이가 많거나 적거나 누구나 능력이 있다. 이를 잘 활용하는 게 세상에 이바지하는 삶이다. 세상 경험이 많은 어른이 다음 세대를 위하여 지혜를 전한다. 노인은 삶의 경험으로 지혜를 전하는 전도사이다. 자아실현이라는 삶은 세상에 가치를 발휘하며 행복한 인생이다.

자신을 존중하고 남에게 존중과 존경을 받을 수 있어야 한다. 그러려면 부끄러움이 없는 삶을 살아야 한다. 그래야 진짜 어른이라 말할 수 있다. 자신의 인생을 살 수 있어야 한다. Giver하는 인생이다. 사람들을 두루두루 살피면서 베풀어야 하는 삶이다. 사랑을 주고 감동을 주고 지혜를 주는 것이다. 진짜 어른은 준비가 필요하고 노력이 필요하다.

김형석의 도서 『백년을 살아보니』에서, "인생의 황금기는 60~75세라고 이야기 했다. 사람은 성장하는 동안 늙지 않는다. 삶의 지혜가 중요하다. 노년기에 가장 중요한 게 지식을 넓혀가는 일이다"라고 한다. 또한 행복을 누리는 사람들은 공통점을 가지고 있다. 공부하는 사람, 취미활동을 하는 사람, 봉사활동에 참여하는 사람들이라고 했다. 노후에는 공부하고 취미생활은 당연한 삶이다.

절대로 남과 나를 비교하지 말자. 오늘 일을 내일로 미루지 말고 한다. 오늘은 현재다. 과거가 오늘이 될 수 없고 미래가 오늘이 될 수 없다. 아침에 눈을 뜨면 오늘도 감사하게 사는 게 행복이다. 현재가 중요하다. 가장 좋은 시기는 적당한 시기도 아니고 지금이다. 지금, 이 순간을 더 잘 사는 법을 배우는 것이다. 만족하는 삶이다. 오늘보다 소중한 날은 없다.

오늘이 선물이다. 영어단어 Gift와 Present는 모두 선물이라는 의미다. Present는 “선물”이라는 뜻도 있고 “현재”, “지금”이라는 뜻도 된다. 과거는 추억이고, 현재는 선물이다. 과거 없는 현재가 없고 현재 없는 미래가 없다. 현재의 삶은 나에게 주어진 최고의 선물 중의 선물이다. 신이 우리에게 준 선물은 바로 지금, 이 순간이다. 영정사진을 생각해 보자. 지금 찍어둔다면 가장 젊은 날의 내 영정사진이 된다. 지금이 내 인생에서 가장 젊은 날 시작이다.

노후에는 자신의 삶을 정리하고, 도전하는 제2의 인생을 살기 위한 준비를 한다. 인생은 희노애락의 삶이다. 누구나 내 인생을 정리할 필요가 있다. 내 삶을 되돌아보고 내 역사를 쓰는 일이다. 개인 삶은 가족의 삶이요, 한 시대의 사회를 기억하여 기록하는 일이다. 내 남은 인생 글쓰기 비법을 전하고 도와주며 글 쓰며 제2의 인생을 지낼 생각이다.

‘세상은 넓고 할 일은 많다.’라는 명언을 생각하는 시점이다. 퇴직 후 삶은 행복을 누리는 삶을 살아야 하는 사명이다.

성찰하는 깨달음

일터에서 은퇴하면 삶이 끝나는 것은 아니라, 인생 후반전의 시작이다. 건강관리 잘하면 무병장수, 만수무강의 삶이 펼쳐지는 세상이다. 나이 먹고 무엇을 하며, 100세 시대에 적응하며 어떻게 살 것인가가 중요하다. 노인이 되면 능력도 체력도 떨어지는 게 정상이다. 친구도 멀어지고 가족도 멀어지며 외롭고 쓸쓸함이 다가온다. 다만 내가 필요한 사람이 되면 다행이다. 인생무상을 느끼며 치매나 질병에 걸린다. 자식 걱정, 병원비 걱정을 하게 된다. 따뜻한 인간관계는 지혜로운 삶이다.

삶에서 누구나 같은 인생은 없다. 노후에 삶의 기쁨을 누리는 방법은 다양하다. 나이 먹고 늙어서도 평생 할 수 있는 자신의 취미나 특기는 매우 좋은 일이다.

살다 보면 성공과 실패는 당연하다. 실패를 계속했다면 성공이 가까워진 상태이다. 조금만 버티면 성취하게 된다. 단 오뚝이 정신은 갖추고 있어야 한다. 한번 실패나 실수했다고 낙심하여 포기하려는 마음을 거두는 것이다. 인생은 이렇게 우뚝 서는 게 세상에 공헌하는 삶이다.

행복은 무엇일까?

그동안 세상의 재미를 느끼며 살아왔는가?

만족하는 일은 무엇인가?

어떻게 살아야 하는가?

행복해지는 방법은 무엇일까?

보람이 있는 일은 무엇인가?

깨달음의 삶이란 무엇인가?

깨달음이란 무엇인가?

진정한 공부란 무엇인가?

제2의 인생, 제3의 삶을 사는 노후를 생각해 본 적이 있는가?

많은 사람이 죽을 때 후회하는 것이 3가지가 있다고 한다.

첫째, 좀 더 베풀고 살걸

둘째, 좀 더 참고 인내하지 못한 것에 대한 후회

셋째, 좀 더 행복하게 살지 못한 것에 대한 후회

라고, 한다.

남은 시간 동안 후회 없는 삶을 위해 많이 베풀고, 좋은 인연 맺은 사람들과 서로 사랑하고, 즐겁고 행복하게 살기 위해 노력해야 한다. 그것이 남은 시간을 보람 있게 사는 비결이다. 나도 이제 좀 더 후회하지 않도록 노력해야겠다.

아들러는 '인생이란 무엇입니까? 라는 질문에 "누구에게나 다 들어맞는 인생의 의미는 없다. 인생의 의미란 자기가 자신의 인생에 부여하는 것이다."라 했다.

내가 경험해 보지 못한 수많은 세상이 존재한다. 이제는 "우물 안 개구리" 같은 삶에서 탈출이다. 교육자로 살았기에 다른 분야의 지식은 솔직히 잘 모르며 부족함이 많다. 독서는 세상을 읽는 행동이다. 독서와 경험은 세상을 알게 하는 지식이고 지혜다. 공부는 지식과 인생의 가치를 배우는 것이다. 배워 남 주는 삶이 감사한 일이고 행복한 삶이다. 감사하는 삶은 행복의 시작이며 나눔을 실천하는 삶이 행복을 가져온다.

톨스토이는 "학자란 모름지기 공부를 많이 한 사람이다. 교양 있는 사람은 지식뿐만 아니라 예절을 겸비한 사람입니다. 남을 일깨워 주는 사람은 인생의 의미와 목적을 완전히 깨달은 사람입니다."라고 했다. 공부의 의미를 지식과 인성을 강조한다. 그뿐만 아니라 다른 사람에게 영향을 주어 일깨우는 자이다.

지금까지 살아온 삶을 보니 인"간사 새옹지마(塞翁之馬)"의 변화가 누구에게나 있다. 삶의 시간은 모두 공평하다. 다만 이를 어떻게 받아들이고 적응하며 변하는 삶이다. 과거는 과거이고, 지금, 이 순간 잘하려는 마음이 중요하다.

삶의 목적과 자신의 가치, 그리고 자신의 장단점을 알아가는 공부가 중요하다. 인생 공부는 먼 미래를 내다보면서 올바른 방향으로 사는 삶이다. 공부는 즐거움이요 깨달음의 과정이다. 공부는 하면 할수록 미지의 세계로 빠져든다. 나를 찾는 공부를 해야 성장과 성찰을 위한 삶을 사는 것이다. 깨달음은 행복한 삶이다. 공부하면 행복해지는 삶이고, 삶의 가치를 느끼는 삶이다.

불교의 참선이란 "스스로 깊고 고요하게 생각하여 마음을 닦는 것"을 말하는 것이다. 욕심을 버리고 본래의 마음에 집중하여 맑고 깨끗한 마음을 갖는 자세를 의미한다. 마땅히 해야 하거나 마땅히 하지 말아야 하는 것을 구분하는 삶이다.

일체유심조(一切唯心造)는 모든 것은 오직 마음이 지어낸다는 의미다. 세상의 모든 일은 내 마음먹기에 달려있다. "나는 욕심이 있다. 하고 싶은 것이 많다."라고 해도 다 할 수도 없다. 잡념은 생각하고 비우면 된다. 모든 게 내 마음이다. 나는 내가 좋다고 외친다. 단지 내가 나를 좋다고 사는 삶이다. 그래서 나를 사랑하자. 참선도 수양의 또 다른 방법이다.

공자는 "가고 또 가는 가운데 깨달음이 있고, 행하고 행하는 가운데 얻음이 있다."라고 말했다. 누구나 나이를 먹으면서 어른이 된다지만, 철이 자연스레 든다면 좋은 일이다. "언제 철들래?", "철들자, 망령이라."라는 속담이 있다. 좋은 시기 놓치지 말고 제때 힘쓰고 실천하라는 말이다. 아직도 철이 들지 않은 것, 성숙하지 않은 것, 수양이 부족한 나를 다시 살펴본다.

먼저 인생을 살아본 수많은 위인의 깨달음을 글로 적어놓은 책이 귀중한 보물이다. 이 책을 통해 간접경험으로 지혜를 배운다. 좀 더 성숙해진 나를 원한다면 '세상에 공짜는 없다'를 명심한다. 깨달음을 위해 명상을 하라고 말한다. 자비를 베풀고, 사랑하라고 한다. 그래야 진정한 마음의 평화와 정신적인 건강을 누릴 수 있다. 즐거운 일을 하면서 삶을 사는 것이다. 사회를 불평하기보다는 만족하는 법을 배우는 게 바람직하다고 한다. 스스로 만족하는 삶이 자부심이요 자신감이다.

행복한 마음으로

이심전심(以心傳心)은 행복이다. 이심전심은 마음에서 마음으로 전한다는 뜻으로, 말로 표현하지 않아도 마음이 서로 통하는 상황을 의미한다. 삶의 모든 게 이심전심이길 바랄 뿐이다. 이는 삶에서 더 깊고, 더 넓고, 더 풍요로운 인간관계를 만들어 가는 데 있어 소중하다.

이심전심은 이해이다.

이해는 오해하지 않는 마음가짐이다. 영어의 Understand 이다. 이해는 대화이다. 이해는 제대로 이해해야 한다. 만약 대화한다고 가정하면, 내 말보다 상대방에 귀 기울일 줄 아는 경청이다. 경청하면 오해를 줄이게 되고 이렇게 이해하는 거다. 시선은 상대방의 얼굴을 응시하며, 주의 깊게 보고 잘 집중하는 태도이다.

다른 사람에게 어떤 영향을 미칠지 먼저 생각하고 지나치지 않게 행동하기 쉽지 않다. 가정에서 부모 자식 관계가, 사랑하는 연인 사이가, 친한 친구들의 관계가, 직장에서의 상사와 부하 사이, 학교의 교사와 학생 관계, 크게 생각하면 국민과 정치가 이심전심이길 바란다.

삶에서 누구에게나 마음이 통하면 모든 게 잘 이루어지겠다고 생각한다. 이 세상에서 좋은 사람으로 살아남기 쉽지 않지만, 이심전심이길 조금이나마 기대해 본다. 각자 처한 상황에 따라 마음이 다 다르다. 어느 조직이든 상사나 부하 직원은 목표가 다른 경우가 많다. 세상은 모두 다 각자의 이익에 따라 살아가는 게 인생이다. 삶은 비교하는 게 아니라 비우는 거다.

아름다운 삶은 역지사지(易地思之)의 마음이다. 지금 올바른 선택과 실천이 내 인생의 행복을 정하는 기준이다. 마음먹기가 기본이다. 내 마음부터 변하는 거다. 변화를 위해서는 변화를 꿈꾸는 자신이 우선 성숙해져야 한다. 삶의 지혜는 마음에서 시작하고 경험에서 나온다.

아리스토텔레스는 "행복은 삶의 의미이자 목적이며, 인간 존재의 전체적인 목표와 종착점이다."라고 말했다. 삶의 궁극적인 목표는 행복이다. 인간은 행복을 이루기 위해서는 이성에 따라 미덕을 살아가는 것이 중요하다고 했다. 덕을 베풀며 지내는 게 행복해지는 삶의 출발이요 도착 지점이다. 삶의 의미는 행복을 추구하는 삶이다. 이게 인생의 지혜이고 가치이다. 무언가를 알고 익혔을 때 쾌감을 얻는다. 성취감이다. 이는 행복한 마음이다.

행복한 삶은 덕업일치의 삶이다. 하는 일이 즐거우면 행복해진다. 이런 삶이야말로 행복한 삶이다. 또한 행복은 사람과 관계가 좋을 때 따라온다. 행복은 성적순이 아니라 선착순이다. 긍정적인 생각과 마음을 단단히 하는 믿음과 가치관에 달려있다.

"하쿠나마타타(Hakuna Matata)"
"문제없다.", "걱정이 없다"라는 의미이며 "모든 것이 다 잘될 것이다"라는 긍정적인 뜻으로 해석한다.17)

더 나은 삶을 위한 일이 남아 있다. 웰빙과 웰다잉의 마음가짐이다. 인생의 목적은 행복이라고 한다. 삶의 목적이 행복이라면, 웃음은 행복의 문을 여는 열쇠라고 한다.

지금까지 살아보니 좋은 추억만이 떠오르는 게 아니다. 이타주의로 덕을 쌓는 게 행복한 일이고, 모든 게 감사한 일이다. 이게 진정한 행복이다. 한 번뿐인 삶을 진정으로 만족스럽게 살기 위해 감사를 하는 일이다. 행복에 이르는 가장 쉬운 길은 아침에 일어나 내가 가진 것에 감사함을 느끼는 일이다.

---

17) 위키백과 하쿠나마타타
https://ko.wikipedia.org/wiki/하쿠나마타타

나는 무엇을 잘하나?

무엇을 좋아하나?

무엇을 할 때 즐거운가?

내가 인생에서 진정으로 원하는 것이 무엇인가?

어떤 일이든 그 자체로 의미가 있다. 퇴직 후 "이런 걸 어떻게 해", "체면이 있지"를 잊는 거다. 열정과 관심사를 재발견하는 시간이다. 어차피 삶은 한 번이다. 퇴직 후 삶을 위해 지금 하는 일을 지속할 수 있을지 생각할 필요가 있다.

과거는 바꾸지 못하는 추억이니 현재에 집중할 수 있는 방법을 찾아야 한다. 나를 위한 새로운 일상을 만들기 시작할 때이다. 지금까지 살아온 인생의 역사를 정리하는 일도 필요하다.

행복한 삶은 내 마음먹기에 달려있다.

긍정적인 마음으로 내가 가진 것에 감사하고 주어진 일에 감사하는 마음이다. 내가 가진 장점에 집중하고 세상에 이바지하는 삶이다. 사회에 내 능력이 필요한 곳에 계여하는 일이다. 내가 가진 능력을 베푸는 일은 일상을 즐겁게 한다. 사회에 공헌하는 봉사하는 삶은 기쁨과 평화를 가져온다. 자원봉사는 성취감과 행복을 증진한다. 또한 행복감을 준다. 퇴직 후 새로운 것을 시도하기에 늦은 나이는 없다.

삶의 목표를 생각해 보자.

퇴직 후 많은 시간을 무엇을 하며 지낼까를 생각하는 일이다. 퇴직 이후의 삶은 개인의 선택이다. 행복하게 사는 것이 무엇인지 정확히 파악하는 것이 중요하다. 미래 희망은 나를 기다리고 있다. 행복한 삶은 내 마음먹기에 달려있다.

지금까지는 학교라는 직장생활을 통해서 나를 보냈다. 이제부터는 소소한 일상에서 감동을 할 수 있어야 한다. 국가에서 주는 연금 감사하게 받으며 편안한 노후를 보내길 소망한다.

자신을 돌보고, 꿈을 따르는 삶이다. 인생은 끝날 때까지 끝난 게 아니므로, 사는 동안 최선을 다하는 거다. 100세 시대를 맞아 황금빛 인생 행복한 삶이 기다리고 있다.

Bravo Bravo Your Life!

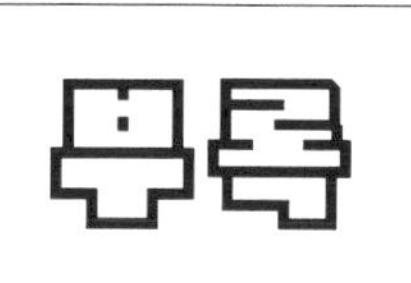

맺음말

참고문헌

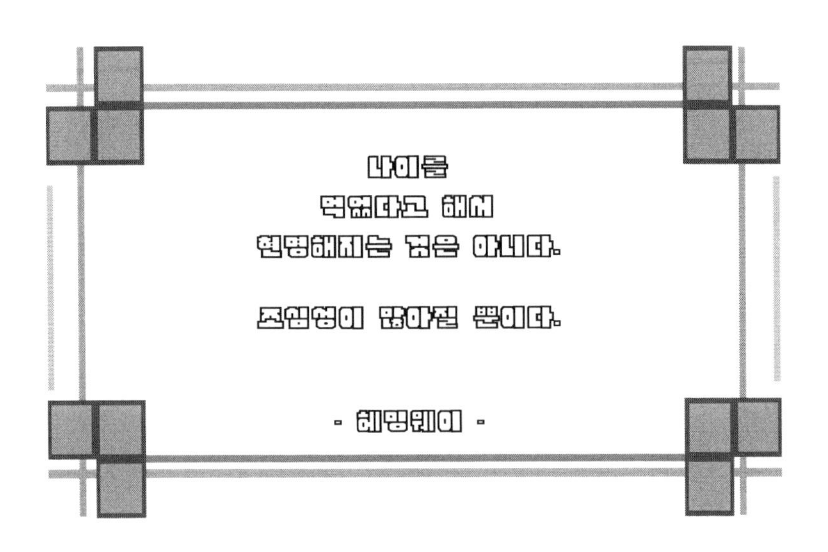
나이를
먹었다고 해서
현명해지는 것은 아니다.
조심성이 많아질 뿐이다.
- 헤밍웨이 -

맺음말

롱런(Long Run)은 롱런(Long Learn)이다

직장인은 누구나 정해진 나이가 되면 퇴직하게 된다. 열심히 살았기에 퇴직은 자랑스러운 일이다. 경력이 쌓여 해당 분야의 능력이 뛰어난 경우도 마찬가지다. 퇴직이 가져오는 삶의 변화와 자세이다.

인생 이모작을 준비해야 한다. 퇴직 후 제2의 삶을 살아가는 삶의 방법을 나열한 안내서이다. 퇴직 후 경제적인 여유는 매우 중요하다. 삶에서 배움을 나누는 게 자아실현이요 세상에 이바지하는 거다. 고경력자와 퇴직을 앞둔 분들에게 길잡이 역할을 기대한다.

이 책은 퇴직을 앞둔 직장인의 삶에 대한 자세와 퇴직한 선배들의 행복하고 즐겁게 사는 사례를 실었다. 퇴직 전 관련분야 공부하거나 자격을 취득하는 삶이 필요하다. 퇴직 후 경제적인 여유는 매우 중요하다. 퇴직 후 삶을 위한 구상이 필요하다. 삶은 개인의 역사이고, 미래이다.

퇴직은 후반전 인생이다. 제2의 삶을 사는 출발점으로 주도적인 삶을 사는 세상이다. 퇴직 후 주도적인 삶을 사는 세상을 준비해야 한다. 퇴직은 새로운 길을 찾아가는 거다. 길이 없다면 새로운 길을 만드는 개척자다.

퇴직은 오랜 기간 열심히 살아온 증거이고 영광스러운 일이다. 개인의 가치관에 따라 행복의 기준과 보람은 각자 다르다. 인생에 정답은 없다. 미래는 미리 가볼 수도 없고 사전 답사도 없다. 노후 준비 빠르면 빠를수록 좋다. 다만 구체적인 방법이 막연하다. 단 현재 하는 일 최선을 다해야 하는 건 당연하다.

미래사회 변화에 대해서 잘 모른다. 늘 지속하는 열정과 자신감으로 사회에 이바지하는 삶에 관한 내용이다. 미래를 위한 퇴직자의 삶의 태도를 언급했다. 다양한 분야의 삶의 방법 사례와 방법을 제시했다.

이 책은 퇴직 후 삶을 생각하고 퇴직을 앞둔 분들에게 길잡이 역할을 기대한다. 에머슨은 “봉사하라, 그러면 당신은 봉사 받게 될 것이다. 사람들을 사랑하고 그들에게 봉사한다면 당신은 꼭 보상받을 것이다.”라고 했다. 감사와 사랑을 실천하는 일이 행복한 일이다.

퇴직 이후의 삶은 개인의 선택이다. 행복의 가치는 사람마다 다르다. 더 큰 행복을 위한다면 지금 누릴 수 있는 행복을 찾아가면서 감사하는 마음이다.

행복하게 사는 것이 무엇인지 정확히 파악하는 것이 중요하다. 행복한 삶은 마음 먹기에 달려있다고 합니다. 삶의 현장에서 즐겁고 행복하시기를 소망하며, 조금이나마 이바지할 수 있기를 바라며, 이 글을 바칩니다.

더 늦기 전에,

더 늙기 전에,

더 빠르게 읽어야 할 책이다.

고맙고 감사합니다.

2024년 여름

강신진 드림

참고 문헌

《황금빛 내 인생》, 강신진, 노상원 외 5인, Bookk, 2024.
《글쓰고 내 책 만들기 정석》, 강신진,김은솔,김현수,노창민,안경순 Bookk, 2024.
《누구나 글쓰고 작가되는 비법》, 강신진, 최진, Bookk, 2023.
《10대에게 알려주는 글쓰기 정석 10가지》, 강신진, Bookk, 2023.
《10대에게 알려주는 독서의 정석》, 강신진, Bookk, 2023.
《10대에게 알려주는 메이커(MAKER) 정석》, 강신진, Bookk, 2023.
《10대에게 알려주는 뤼튼(WRTN)의 정석》, 강신진, Bookk, 2023.
《백년을 살아보니》, 김형석, Denstory, 2020.
《나는 교육 실천가》, 강신진, Bookk, 2023.
《나는 교육 실천가 2》, 강신진, Bookk, 2023.
《네 꿈을 펼쳐라》, 강신진, Bookk, 2023.
《수석교사 수업 톡(talk)》, 강신진, 장양기, 유덕철, Bookk, 2023.
《내 마음의 시(詩)》, 강신진, 원성균, Bookk, 2022.
《수석교사 제도》, 강신진, 부크크, 2023.
《가장 확실한 노후대비》, 강창희, 아름다운사회, 2007.
《세상에 이런 법이》, 강신진, 부크크, 2022.
《누구나 쉽게 활용하는 ChatGPT 활용법》, 강신진, Bookk, 2023.
《내일을 당당하게 인생 내공》, 이시형, 이희수, 위즈덤하우스, 2014.
《선생님 퇴직하시나요》, 윤선숙, 부크크, 2014.
《행복한 교사의 일상》, 강신진, 유덕철, Bookk, 2023.
《행복해지는 교사들의 7가지 수업》, 강신진, 유덕철, Bookk, 2023.

참고사이트

국가법령정보센터법규 https://www.law.go.kr/법령/교육기본법
나무위키 https://namu.wiki/w/챗봇
나무위키 https://namu.wiki/w/자서전
나무위키 웰빙 https://namu.wiki/w/웰빙
나무위키 https://namu.wiki/w/퇴직연금
나무위키 꼰대 특징 https://namu.wiki/w/꼰대 특징
위키백과 https://ko.wikipedia.org/wiki/홍익인간

위키백과 https://ko.wikipedia.org/wiki/웰빙
위키백과 https://ko.wikipedia.org/wiki/정약용
위키백과 https://ko.wikipedia.org/wiki/제4차_산업혁명
위키백과 https://ko.wikipedia.org/wiki/자서전
위키백과 사단 https://ko.wikipedia.org/wiki/사단
위키백과 재테크 https://ko.wikipedia.org/wiki/재테크
위키백과 사전 https://ko.wikipedia.org/wiki/매슬로의 욕구단계설
위키 백과사전 https://ko.wikipedia.org/wiki/하쿠나마타타
한국교육신문 http://www.eduyonhap.com/news/view.php?no=64664
교육 연합신문 https://www.hangyo.com/news/article.html?no=96737
전자신문 https://www.etnews.com/20230706000179
대중문화와 예술 https://ko.wikihow.com/
공무원연금공단 https://www.geps.or.kr

유튜브 사이트
방송대 지식 + https://www.youtube.com/@KnouTube
원더풀 인생 후반전 TV - 행복하게 사는 작은 습관 일곱 가지
https://www.youtube.com/~
인생은 60부터? 노후 준비를 위한 3가지 재테크
https://www.youtube.com/~
한국 시니어 TV 노후 준비를 위한 재테크 [생각을 바꾸는 시간 15회]
https://www.youtube.com/watch?v=AhgYnS-0BNM&ab_channel=%ED%95%9C%EA%B5%AD%EC%8B%9C%EB%8B%88%EC%96%B4TV
조관일 한국 시니어 TV 강연 https://www.youtube.com/~
강창희 유튜브 강의 https://www.youtube.com/watch?v=WlRJNG7SDqE
조선일보 머니 TV 방현철 박사의 머니머니 272화
https://www.youtube.com/watch?v=ouLAG8CB_7k

책의 그림은 뤼튼(Wrtn)에서 그려준 그림을 사용했습니다.
https://wrtn.ai/

저　자 | 강신진

발　행 | 2024년 8월 1일
펴낸이 | 한건희
펴낸곳 | 주식회사 부크크
출판사 등록 | 2014.7.15.(제2014-16호)
주　소 | 서울특별시 금천구 가산디지털1로 119
(SK 트윈타워 A동 305호)
전　화 | 1670-8316
이메일 | info@bookk.co.kr

ISBN | 979-11-410-9798-1

www.bookk.co.kr